CHCIEĆ MNIEJ

CHCIEĆ MNIEJ

Minimalizm w praktyce

Katarzyna Kędzierska

Spis treści

MIEĆ MNIEJ

NARZĘDZIA

Chciałabym uprościć swoje życie, ale...

...kocham kupować!,

...mam dzieci,

...minimalizm jest dla bogatych, bo dobra jakość bardzo dużo kosztuje,

...brakuje mi konsekwencji, wytrwałości i samozaparcia,

...za bardzo lubię zdobycze ze szmateksu,

...mam za dużo rzeczy, z którymi nie wiem, co zrobić,

...jestem zbyt leniwa i trudno mi zacząć,

...chcę mieć, bo nigdy nie wiadomo, kiedy się coś przyda, nie umiem oddawać lub wyrzucać,

...za bardzo kocham życie, żeby być minimalistką,

...mój mąż robi mi dużo prezentów i głupio mi to później wyrzucić,

...boję się, że to będzie nudne,

...za bardzo przywiązuję się do rzeczy,

...co pół roku się przeprowadzam, więc kupuję i wyrzucam – wszystko jest tymczasowe,

...jeśli pozbędę się kilku ubrań, to i tak coś dokupię, bo zawsze mi mało,

...nie wiem, skąd mam tyle rzeczy,

...mój mąż jest chomikiem,

...ja jestem chomikiem!

Jeśli choć część tych stwierdzeń pasuje do Ciebie, śmiało, przełóż stronę.

Kartony

Kilkanaście kartonów. Dużych, w pełni załadowanych książkami, skryptami, dokumentami i segregatorami. Ich ciężar urywał ręce, a ja próbowałam odpędzić od siebie myśl, że muszę je znieść do samochodu, zapakować do bagażnika, wypakować, a potem wnieść do nowego mieszkania. A to był tylko ułamek mojego skromnego, jak mi się wtedy wydawało, dobytku.

Upraszczanie życia okazało się dla mnie długim, wieloletnim procesem, który zaczął się właśnie w tamtym momencie – gdy poczułam ciężar tych książek. Nie, nie ten metaforyczny, ale czysto fizyczny. Nagle zrozumiałam, że nie potrzebuję bagażu, że chcę przeżyć moje życie po swojemu, lekko. Wbrew schematom.

Przez wiele lat kształtowałam swoje życie w dużej nieświadomości. Skupiałam się na tym, co mam, ponieważ wydawało mi się, że to jedyna słuszna i możliwa droga. Kolekcjonowałam. Sukienki, książki, informacje. Nie zastanawiałam się, skąd u mnie potrzeba zdobywania i gromadzenia, w końcu wszyscy tak robią, prawda? Żyłam w świecie napędzanym czystą konsumpcją. Otaczał mnie nadmiar, ale długo nie byłam tego świadoma. Czy to coś złego? Można przecież przeżyć dobre życie, nie stawiając sobie trudnych pytań i unikając robienia wewnętrznych porządków. Upraszczanie i ograniczanie stanu posiadania to może być sposób na życie, ale nie musi. Jeśli nie czujesz potrzeby zmiany, jeśli dobrze Ci tam, gdzie jesteś teraz, to nie jest to książka dla Ciebie. Jeśli jednak konsumpcja budzi w Tobie negatywne emocje, gubisz się w nadmiarze przedmiotów, jesteś zirytowana, sfrustrowana oraz czujesz, że zmiany są nieodzowne (i szukasz na nie pomysłów), to ten tekst będzie odpowiedzią na Twoje potrzeby.

Nie byłoby tej książki, gdyby nie blog. Nie byłoby bloga, gdyby nie minimalizm.

Kiedyś, gdy byłam młodsza, nie znałam właściwie tego pojęcia. Moje podejście do posiadania było w dużej mierze intuicyjne, a część wzorców i przekonań wyniosłam z domu. Zawsze jednak byłam, delikatnie rzecz ujmując, oszczędną osobą. Mama śmiała się, że z kolonii przywoziłam do domu więcej pieniędzy, niż na nie zabierałam. Nigdy nie przepadałam za kupowaniem pamiątek, bibelotów czy innych drobiazgów.

Gdy wyjechałam na studia, po raz pierwszy zaczęłam świadomie gospodarować swoim, bardzo skromnym, budżetem. Miałam za co żyć. Nie było szczególnie dramatycznie, ale na szaleństwa nie było mnie stać. Jeśli za dużo wydałam na książki czy ksero, to cały tydzień musiałam być bardzo oszczędna. Jeszcze na studiach zaczęłam pracować, uniezależniłam się finansowo, a wraz z pracą w korporacji przyszło wynagrodzenie, coraz wyższe w miarę upływu czasu, zdobywania wykształcenia i doświadczenia. Potem razem z MM[1] założyliśmy firmę. Wiązało się to oczywiście z wyższymi zarobkami, ale za to czasu było jakby coraz mniej. Był taki okres, kiedy pracowałam

---

1 Moim partnerem (biznesowym i życiowym). Gdy powstał blog, początkowo mój partner nie chciał się na nim ujawniać. Wymyśliłam wtedy, że będę o nim pisać MM, co oznacza „mój mężczyzna". Mam nadzieję, że mi wybaczysz, że przyzwyczajenie zostało.

po jedenaście–dwanaście godzin dziennie, także w weekendy. Brak wolnego czasu doskonale rekompensowały pieniądze, a wraz z nimi kompulsywne zakupy. Często zastanawiałam się, co by tu jeszcze kupić, czego mi potrzeba, czego brakuje. Buszowanie po sklepach traktowałam jako odprężającą rozrywkę. Naprawdę ciężko pracowałam i tym faktem byłam w stanie usprawiedliwić każdy zakup. Do tego trzeba by dołożyć mój ówczesny sentyment do posiadanych przedmiotów (kochałam książki!). W efekcie mieszkanie zaczęło przypominać mały magazyn, pełen mniej lub bardziej potrzebnych rzeczy, a stwierdzenia: „Nie mam co na siebie włożyć" oraz „Nie mam czasu" stały się moją mantrą.

Nietrudno się domyślić, że przy takim trybie życia mój organizm zaczął się buntować. Nic poważnego, a jednak coś zaczęło się zmieniać w mojej świadomości. Postanowiłam oczyścić swoje otoczenie. Wspomniany księgozbiór został przerzedzony. Półki opustoszały. Przedmioty znikały – oddawane, sprzedawane i wyrzucane. Świadomie ograniczyłam zakupy. Ponownie się przeprowadziłam, tym razem do nowego, własnego już mieszkania. Towarzyszyła temu kolejna, naturalna selekcja przedmiotów. Chciałabym móc napisać, że przeżyłam oświecenie i w krótkim czasie pozbyłam się 70% swoich rzeczy, a teraz żyję z jedną parą skarpetek, miską i łyżką. Wiem, że brzmi to atrakcyjnie, ale nie jest prawdą. Wyrzuciłam, oddałam lub sprzedałam bardzo dużo przedmiotów, ale nie wiem, czy 50%, czy 25%. I szczerze mówiąc, jest to zupełnie nieistotne.

Nieoczekiwanie odczułam również potrzebę zmian w sferze zawodowej. Zminimalizowaniu uległ nie tylko mój stan posiadania, ale także ilość obowiązków, które na siebie brałam. Policzyłam, ile pieniędzy potrzebuję na życie, wiedziałam, że potrafię ograniczyć swoje potrzeby. Odeszłam z etatu i założyłam własną firmę. Zaczęłam więcej podróżować – podróże zawsze były dla mnie ważne. Właśnie w trakcie wyprawy na Kubę powstała idea bloga. Początkowo miał być platformą, na której umieszczę zdjęcia i wspomnienia z podróży, żeby nie musieć opowiadać o nich kilkanaście razy każdemu bliskiemu i znajomemu z osobna. Powstał z chęci uproszczenia sobie życia.

Po pewnym czasie odważyłam się na publikowanie innych, bardziej osobistych tekstów, w naturalny sposób pojawiła się również tematyka mojej drogi do minimalizmu. I tak, w dwa lata od rozpoczęcia blogowania, powstała ta książka.

Ten tekst jest osobisty. Nawet bardzo. Napisanie książki zawsze było moim marzeniem. Nigdy nie sądziłam, że będzie poświęcona właśnie tej tematyce, ale życie zaskakuje, nieprawdaż? Nie zamierzam udawać, że napisanie jej czyni ze mnie pisarkę. To książka stworzona przez blogerkę, z wszelkimi zaletami i wadami tej kombinacji. Powstała na podstawie moich doświadczeń, czasami zwykłych i może nawet nieco banalnych, jak to z reguły bywa w życiu. Znajdziesz tu również historie wspaniałych kobiet, Czytelniczek mojego bloga, które zgodziły się podzielić z Tobą swoimi opowieściami. Mam nadzieję, że całość okaże się dla Ciebie inspirująca.

Zauważ, proszę, że zwracam się do Ciebie w rodzaju żeńskim, ponieważ intuicja podpowiada mi, że do tej lektury zabiorą się głównie kobiety. Jeśli jednak czytasz mnie Ty, drogi mężczyzno, mam nadzieję, że wybaczysz mi i przejdziesz do porządku dziennego nad tymi wszystkimi żeńskimi końcówkami.

CHCIEĆ MNIEJ

ROZDZIAŁ 1

Świadomość

Minimalizm nie jest zbiorem gotowych reguł, ale małym ziarenkiem, które kiełkuje tylko w sprzyjających warunkach. Zasiewamy je, kiedy zaczynamy zadawać sobie pytania dotyczące szczęścia lub sensu istnienia – kwestionujemy wtedy to, czego społeczeństwo od nas wymaga i oczekuje, a jednocześnie spoglądamy w głąb siebie w poszukiwaniu własnego sposobu na życie. Nie jest to droga ani łatwa, ani prosta. Wymaga charakteru, ale też go kształtuje.

Aby móc w pełni odpowiedzieć sobie na pytania: Kim jestem? Czego chcę? Co jest dla mnie w życiu naprawdę ważne?, trzeba czasem odrzucić wiele zbędnego balastu, który nagromadził się przez lata – wyczyścić siebie tak samo, jak porządkuje się swoje otoczenie, odgruzowuje szafę. Znasz to uczucie, gdy po posprzątaniu szafki w kuchni oraz poustawianiu w niej równo talerzy i kubków sięgnięcie po filiżankę do porannej kawy staje się czystą przyjemnością? Dokładnie tak samo jest z naszym wnętrzem – należy najpierw doprowadzić je do ładu, żeby poczuć przyjemność płynącą ze świadomości własnego istnienia i własnych potrzeb. Wiem, że porównanie głowy do szafki na naczynia brzmi nieprzekonująco, ale to naprawdę tak działa. Pozostaje tylko zakasać rękawy, wziąć ścierkę, duży worek na śmieci i zacząć porządki.

Tylko człowiek świadomy będzie w stanie w pełni skorzystać z dobrodziejstw minimalizmu.

Nie sposób wkroczyć na ścieżkę zmian bez świadomości: świadomości powodu, dla którego szukamy innej drogi, świadomości siebie, ale też świadomości nadmiaru. Tylko człowiek świadomy będzie w stanie w pełni skorzystać z dobrodziejstw minimalizmu. Bez tego składnika wszystkie działania przyniosą jedynie chwilowy efekt. Być może posprzątasz swój dom, wyrzucisz z niego wszystkie niepotrzebne rzeczy i odczujesz dzięki temu ogromną ulgę. Ale ta zmiana będzie tylko powierzchowna – będzie dotyczyć ładu jedynie w świecie zewnętrznym. To może stanowić doskonały początek przygody z minimalizmem albo wyłącznie jej satysfakcjonujący koniec. Będę Cię jednak stale zachęcać do czegoś więcej – do przeprowadzenia porządków również w sferze duchowej – ponieważ z doświadczenia wiem, jak niesamowite daje to efekty.

Kiedy pracujemy nad ograniczeniem naszej chęci posiadania i pozbywamy się zgromadzonych przedmiotów, często skupiamy się wyłącznie na „technicznej" stronie całego przedsięwzięcia – metodach i narzędziach, które pozwolą osiągnąć zamierzone cele. Zupełnie zapominamy przy tym o odpowiedzi na proste pytanie: Dlaczego chcę ograniczyć swoje zasoby? Czy robimy to po to, żeby zyskać przestrzeń, oczyścić mieszkanie, a może mieć mniej do sprzątania lub przenoszenia w trakcie przeprowadzki? Zastanów się proszę, do czego jest Ci potrzebny ten cały minimalizm i związane z nim upraszczanie. Odpowiedź prawdopodobnie nie będzie oczywista i łatwa do sformułowania, ale jest niezwykle ważna. To ten powód będzie Twoją inspiracją w chwilach słabości lub zwątpienia. Na przykład wtedy, gdy będziesz musiała pożegnać się z jakąś rzeczą, do której masz szczególny sentyment.

Minimalizm nie jest i nigdy nie powinien się stać celem samym w sobie, ale jedynie narzędziem w drodze do celu. Jestem przekonana, że na przykład pomysł posiadania mniejszego mieszkania nie będzie wynikał z chęci ograniczenia przestrzeni życiowej. Zrodzi go raczej potrzeba redukcji kosztów utrzymania, większej kontroli nad finansami, uwolnienia się od długów czy możliwości swobodnego przemieszczania się, podróżowania i dysponowania swoim czasem.

Formułując swój cel, unikaj ogólników typu: „Chcę być szczęśliwa", „Chcę lepiej żyć", „Chcę mieć czystsze mieszkanie". Przy takich założeniach możesz przegapić moment, w którym ów cel faktycznie osiągniesz. Spraw, by był on jak najbardziej konkretny, możliwy do zmierzenia i spełnienia. Nie uzależniaj stopnia jego realizacji od kogoś innego. Do celu i świadomego jego wyboru będę jeszcze niejednokrotnie wracać – warto więc, byś go sprecyzowała. Ostatnią, nie mniej ważną kwestią jest wyznaczenie sobie daty realizacji obranego postanowienia. Jeśli czujesz taką potrzebę, możesz wpisać swój cel i termin jego wykonania poniżej:

MÓJ CEL:

DATA REALIZACJI:

Minimalizm nie jest i nigdy nie powinien się stać
celem samym w sobie, ale jedynie narzędziem
w drodze do celu.

MINIMALIZM TO NARZĘDZIE

Świadomość w życiu budujemy w kilku obszarach. Może to być świadomość własnej wartości i wypływających z niej potrzeb, świadomość wyboru ścieżki życiowej, powołania i celu, do którego chcemy dążyć (Japończycy określają to słowem *ikigai*), oraz świadomość nadmiaru, bez której nie sięgnęłabyś po tę książkę. *Jeśli chcemy wieść proste, mądre i harmonijne życie, musimy zrozumieć, które wartości są dla nas ważne, bowiem to one prowadzą nas przez życie i z nich wypływa wszystko inne.* Czasami trzeba zacząć kopać, żeby się do nich dostać.

Wyobraź sobie, że Twoje życie jest jak walizka (lub plecak, jak kto woli). Od najmłodszych lat wkładasz do niej wszystko, czego się dowiadujesz o świecie, co jest ważne dla Ciebie i Twoich bliskich, wszystkie doświadczenia, obserwacje, nabywane umiejętności, oczekiwania i potrzeby – nomen omen nazywamy to *bagażem* doświadczeń. Wyobraziłaś to sobie? Na pewno jest to tylko jedna walizka? Gdy parę lat temu wykonałam to proste ćwiczenie, jego wynik trochę mnie przeraził. Stos moich bagaży sięgnąłby sufitu. Uświadomiłam sobie, że dźwigam na co dzień ogromny ciężar – własnych i cudzych oczekiwań, doświadczeń i niezrealizowanych ambicji, a także niektórych moich przekonań. Choć tak dużo wiedziałam, umiałam, tyle przeżyłam i dokonałam, wcale nie czułam się z tego powodu dobrze. Wręcz przeciwnie, miałam wrażenie, jakby ciężar tych walizek przyciskał mnie do ziemi. Jak powietrza potrzebowałam wolności, swobody i przestrzeni. Postanowiłam wtedy, że uporządkuję moje bagaże. Było to przyjemne i uskrzydlające doświadczenie, ale wymagało też wiele trudu. Nieraz potrzebowałam cudzej pomocy, żeby uporać się z tym wszystkim, co zalegało na dnie walizek. Dzisiaj, z perspektywy czasu, mogę w pełni świadomie napisać – było warto.

Bardzo często zdarza się tak, że pod naporem trendów, popularnych idei lub kierunków zapominamy o sobie i o swoich priorytetach. Z tego powodu nigdy nie traktowałam minimalizmu jako filozofii życia. *Minimalizm jest narzędziem.* Tak jak inne rzeczy tego typu bardzo często jest pożyteczny, jednak nieprawidłowo użyty wyrządza szkody. Śrubokrętem skutecznie wkręcimy śrubę, ale możemy również wykłuć nim sobie oko, nieprawdaż? Ani minimalizm, ani żadne inne narzędzie nie spełni swojej funkcji, jeśli nie będziemy wiedzieć, po co go używamy i co tak naprawdę chcemy za jego pomocą osiągnąć.

Z pewnym dystansem obserwuję od dawna mnogość trendów, które pojawiają się w mediach i w prasie, a także na blogach. Poszukiwanie szczęścia, minimalizm, esencjalizm, bycie fit, bieganie, weganizm lub nawet zwykły konsumpcjonizm. Żyjemy w czasach, które – jak nigdy wcześniej – oferują nieskończenie wiele możliwości. Zachłystujemy się nimi po kolei, często bez głębszej refleksji. Szukamy, ale chyba nie do końca wiemy, co jest celem tych poszukiwań, a to prowadzi do głębokiej frustracji. Przypomina mi się w tym kontekście wyświechtana już metafora o drabinie – wspinamy się po niej, nie upewniwszy się, czy jest oparta o właściwą ścianę. To truizm, ale jakże prawdziwy.

Charles Bukowski napisał: „Wszędzie panuje chaos. Ludzie po prostu rzucają się na wszystko w zasięgu ręki: komunizm, zdrową żywność, zen, surfing, balet, hipnozę, terapię grupową,

orgie, rowery, zioła, katolicyzm, podnoszenie ciężarów, podróże, ucieczkę od rzeczywistości, wegetarianizm, Indie, malar-
stwo, rzeźbę, pisanie, komponowanie, dyrygenturę, wyprawy
z plecakiem, jogę, kopulację, hazard, alkoholizm, wędrówki bez
celu, mrożony jogurt, Beethovena, Bacha, Buddę, Chrystusa, sa-
mobójstwo, szyte na miarę garnitury, podróże odrzutowcem do
Nowego Jorku, dokądkolwiek... Te fascynacje zmieniają się nieustannie, mijają, ulatują bez śladu. Ludzie po prostu muszą znaleźć sobie jakieś zajęcia w oczekiwaniu na śmierć"[2].

W POSZUKIWANIU *IKIGAI*

„Cel w życiu", „powołanie" – to wielkie słowa, które przytłaczają
swoim ogromem. Jedna z japońskich wysp, Okinawa, słynie z naj-
wyższego na świecie odsetka stulatków. Z tego powodu bywa nawet
nazywana ojczyzną długowieczności. Dlaczego tylu żyjących tam
ludzi osiąga tak sędziwy wiek? By to wyjaśnić, prowadzono wiele
badań – szukano przyczyn w diecie, otoczeniu i tym podobnych.

*Minimalizm pozwolił mi na odkrywanie – tego,
co ważne i potrzebne, ale też tego, co zepsute
i zbędne.*

Mnie zafascynował jeden z prawdopodobnych powodów, czy też
warunków, długowieczności, który nie ma nic wspólnego z biolo-
gią jako taką, a pozostaje raczej w sferze ludzkiej psychiki. Otóż

2   Charles Bukowski, *Kobiety*, przeł. Lesław Ludwig, Oficyna Literacka Noir Sur Blanc,
Warszawa 2010.

okinawczycy bardzo poważnie traktują swoją rolę w społeczeństwie. To japońska tradycja stworzyła pojęcie *ikigai* – powodu, dla którego wstaje się każdego ranka. To jest właśnie cel w życiu, powołanie. Kostarykańczycy (również słynący z długowieczności) nazywają to *plan de la vida*, planem na życie. *Jaki jest Twój plan na życie? Zastanawiałaś się kiedykolwiek, kim jesteś, jakim człowiekiem chcesz być i co jest dla Ciebie najważniejsze?*

Minimalizm pozwolił mi na odkrywanie – tego, co ważne i potrzebne, ale też tego, co zepsute i zbędne. Pamiętasz metaforę z walizkami? Nie szukam już magicznego przedmiotu, który dołożony do walizki sprawi, że jej zawartość w czarodziejski sposób ze sobą „zagra". Raczej minimalizuję obciążenie, wyrzucam wszystkie nieprzydatne i znoszone rzeczy, a zostawiam wyłącznie te istotne. Zaryzykuję stwierdzenie, że samo dokładanie przedmiotów – choćby były bardzo wartościowe – nie pomoże bez uprzedniego pozbycia się tego, co niepotrzebne, brzydkie i zepsute. To tak jakby chcieć zamaskować brzydki zapach w kuchni bez wyrzucania śmieci.

OBCIĄŻENIA I OGRANICZENIA

„Ograniczenie" i „wyrzeczenie" – te słowa wzbudzają negatywne skojarzenia, ale dla mnie w ciągu ostatnich lat nabrały blasku i zaczęły oznaczać zupełnie co innego. *Mądre stawianie sobie granic jest dobre. Wyrzeczenie się zbędnego balastu i pozbycie się zalegających śmieci oczyszcza.*

Z doświadczenia (swojego, ale nie tylko) wiem, że najbardziej obciążają nas pewne wyobrażenia, które, czy tego chcemy, czy nie, kolekcjonujemy pieczołowicie przez całe życie. Opowiem Wam anegdotę, banalny przykład z mojego życia. Otóż moje palce u stóp są bardzo długie, a drugi palec stanowczo góruje nad pozostałymi. Od kiedy pamiętam, moja rodzina bardzo zwracała na to uwagę, a babcia żartowała sobie, że wystający palec oznacza staropanieństwo. Oczywiście bez żadnych złych intencji, ot, zwykły żart. I wiecie co? O ile nigdy szczególnie nie obawiałam się, że zostanę starą panną, o tyle wyrobiłam sobie przekonanie, że ten długi palec to pewnego rodzaju skaza, że jest brzydki i nie powinnam pokazywać odkrytych stóp lub nosić butów z wycięciem z przodu, które uwidaczniałyby ten drobny feler. Niesamowite, prawda? W zeszłym roku, w wieku trzydziestu trzech lat, po raz pierwszy kupiłam sobie letnie sandały na wysokim obcasie odsłaniające palce.

Mechanizm tej zmiany jest prosty: odkryłam swoje błędne przekonanie, przyjrzałam się mu dokładnie i podobnie jak w wypadku starej, znoszonej sukienki postanowiłam je wyrzucić. Psycholog i mówca Jacek Walkiewicz pisze: „Zmień swoje przekonania na bardziej dopasowane do Ciebie. Wyrzuć te, w których nie jest Ci ani dobrze, ani wygodnie. To znoszone szmaty i nic ich nie odświeży. Zasługujesz na to, co nowe, lekkie, świeże i w czym Ci do twarzy"[3].

Minimalizm nie jest modą, chwilowym kaprysem zmęczonego bogactwem dzieciaka. Jest to wybór oparty na wyznawanych wartościach.

Naturalnie nie ze wszystkimi wyobrażeniami można się tak łatwo uporać. Nie wiedziałam o tym, dopóki nie doświadczyłam

---

3   Jacek Walkiewicz, *Pełna moc możliwości*, Wydawnictwo Helion, Gliwice 2014.

tego na własnej skórze. Zapewne nigdy nie pozbędziesz się schematów myślowych, które są w Tobie mocno zakorzenione, ale nie oznacza to, że jesteś na straconej pozycji. Moc przekonań można skutecznie osłabić, ale trzeba mieć ich świadomość, choćby po to, by je zrozumieć oraz zaakceptować istniejące w nas ograniczenia.

Jeśli postanowisz wypróbować w swoim życiu idee minimalizmu, chciałabym bardzo, żeby była to świadoma decyzja. Im głębiej sięgniesz, tym bardziej skorzystasz. Dla mnie minimalizm nie jest modą, chwilowym kaprysem zmęczonego bogactwem dzieciaka. Jest to wybór, który oparłam na wyznawanych przez siebie wartościach. Stanowi on dla mnie narzędzie, które pomaga mi żyć w zgodzie z tymi wartościami i z moim wewnętrznym kompasem. *Postanowiłam, że moje życie nie będzie bazować na tym, co mam, ale wyłącznie na tym, kim jestem.* Chcę mieć możliwość wyboru tych rzeczy i doświadczeń, które będą mnie kształtować w sposób, w jaki sobie tego życzę. To siła sprawczości, a nie biernego oczekiwania na przyszłe wydarzenia. Z minimalizmem u boku jest mi dużo łatwiej, ponieważ nie muszę już zawracać sobie głowy tym, co niepotrzebne. Mogę skupić się na rzeczach dla mnie najważniejszych.

NIE MOGĘ BYĆ MINIMALISTĄ, BO...

Bardzo lubię przeglądać komentarze do wszystkich materiałów na temat minimalizmu, które ukazują się na blogach i w prasie. Ciekawią mnie głównie wypowiedzi typu: „Chciałabym zostać minimalistką, ale nie mogę". Gdybym miała sporządzić ranking wykrętów, które stosujemy, chcąc przekonać siebie i innych, że minimalizm nie jest dla nas, to zdecydowanie na pierwszym miejscu pojawiłyby się dzieci, a zaraz potem wymówka: „Minimalizm nie jest dla mnie, bo nie lubię koloru białego". Wychodzą tu na jaw wszystkie typowe skojarzenia związane z minimalizmem: białe ściany, szarości, brak przedmiotów we wnętrzu, dużo pustej przestrzeni, styl skandynawski, noszenie białych koszulek, brak biżuterii i tak dalej. Najczęściej dotyczą one dwóch sfer: mody oraz wnętrz. I faktycznie, po wpisaniu do wyszukiwarki Google zapytania „minimalizm" otrzymamy głównie zdjęcia ukazujące estetyczne trendy we wnętrzarstwie, architekturze, sztuce i modzie. Królują na nich biel, szarość, światło i formy geometryczne. Jedna z moich Czytelniczek napisała, że zauroczona koncepcją minimalizmu zaczęła właśnie od wnętrz i ubioru. Okazało się, że zgodnie z wytycznymi powinna przemalować ściany na biało, zmienić meble i koniecznie poszukać białej, klasycznej koszuli. Niestety, było to dla niej kłopotliwe, ponieważ bardzo lubiła kolor różowy.

W tym miejscu chciałabym wyraźnie podkreślić różnicę między minimalizmem w ujęciu ideowym i estetycznym. Idea minimalizmu w żadnym wypadku nie wymusza przeniesienia jej na grunt estetyki – wystroju wnętrz lub mody. Czy można być minimalistką i mieć w domu czerwono-niebieskie ściany? Oczywiście! Czy można nosić złotą biżuterię, ubierać się kolorowo i wzorzyście, a przy tym być minimalistką? Owszem, dlaczego nie?! *Minimalizm uczy dystansu do posiadania, mądrego nabywania rzeczy i korzystania z nich, upraszczania zamiast komplikowania.* Nie ma tu ani słowa o białych ścianach. Często zdarza się, że minimalizm ideowy idzie w parze z tym estetycznym – w końcu oba opierają się na podobnych filarach. Istnieje duże prawdopodobieństwo, że ktoś, kto pozbywa się nadmiaru rzeczy, lubi jednocześnie minimalistyczny wystrój wnętrz, ale naprawdę nie musi być znaku równości w każdym wypadku. Nie lubisz białych ścian? To pomaluj je na różowo, jeśli tylko masz ochotę. To nie ma nic wspólnego z uporządkowaniem zawartości szaf lub półek w Twoim mieszkaniu. Na blogu często dostaję pytanie, czy nie zakładam biżuterii z uwagi na wyznawany przez siebie minimalizm. Nie noszę jej dużo, ponieważ nie lubię. To kwestia gustu czy poczucia estetyki, które nie mają nic wspólnego z ograniczaniem posiadania.

> *Minimalizm pozwolił mi na odkrywanie –*
> *tego, co ważne i potrzebne, ale też tego,*
> *co zepsute i zbędne.*

Bardzo często utożsamianie obu rodzajów minimalizmu wynika ze spłaszczania i zawężania tematu lub prób zarobienia na tym trendzie. Możemy się oburzać i sprzeciwiać, ale w gruncie rzeczy to zupełnie naturalny mechanizm rynkowy. Nie od dziś wiadomo, że przedmioty kunsztownie wykonane wcale nie muszą mieć skomplikowanej formy. Wręcz przeciwnie – im przedmiot ma prostszy kształt, jest bardziej użyteczny, a do tego piękny, tym wyższą wartość posiada, a co za tym idzie, więcej kosztuje. Deyan Sudjic, dyrektor Design Museum w Londynie, w swojej godnej polecenia książce *Język rzeczy* pisze wprost: „Choć intuicja podpowiada coś innego, prawdą jest, że prostota jest bardziej kosztowna. Zawsze jest droższa i bardziej wymagająca niż kunsztowność i nadmierna złożoność. Proste geometryczne kształty są trudniejsze do wykonania, ponieważ nie pozostawiają wykonawcy miejsca na błąd"[4]. Wielu produ-

---

4 Deyan Sudjic, *Język rzeczy. Dizajn i luksus, moda i sztuka. W jaki sposób przedmioty nas uwodzą?*, przeł. Adam Puchejda, Karakter, Kraków 2013.

centów próbuje nas przekonać, że oferuje właśnie taki produkt, często wyłącznie poprzez podkreślenie jego formy. Dla kogoś, kto dopiero zaczyna przygodę z minimalizmem, a przy tym sięgnął do materiałów lub tekstów pobieżnie traktujących o minimalizmie, zakup takiej rzeczy może się wydawać doskonałym wyborem. Słuszność tej decyzji będzie ugruntowywana przez sprawny marketing producenta, odwołujący się do takich właściwości oferowanego przedmiotu jak: prostota, luksus, jakość wykonania lub minimalizm formy. Tworzy się dla nas obraz świata, w którym zakup niewyszukanego drewnianego krzesła sprawi, że życie w magiczny sposób stanie się prostsze i zacznie przypominać to z obrazków rozpowszechnianych przez media społecznościowe – idealne, czyste i bez skazy, w którym dominującymi wartościami są snobizm, marka i luksus. Dokładnie z takim wyobrażeniem się borykamy, gdy próbujemy zgłębić temat minimalizmu. Ten kreowany obraz jest niezwykle szkodliwy – dla nas, ale również dla samej idei minimalizmu. „Minimalizm jest kosztowny" – pisze w znanej książce *Sztuka prostoty* Dominique Loreau[5]. Nie potrafię się zgodzić z tym stwierdzeniem. Ostatecznie to do nas, konsumentów, należy decyzja zakupowa, a ja postaram się ułatwić jej podjęcie.

Z oczywistych względów nasza świadomość kształtuje się wraz z wiekiem i nabywanym doświadczeniem i na poszczególnych etapach naszego życia będzie odrobinę inna. Zdaję sobie sprawę, jak również mam głęboką nadzieję, że po ten tekst sięgną osoby, które są zarówno na początku kształtowania swojego świadomego życia, jak i te zaawansowane w tym procesie. Chciałabym, żeby ten tekst był mądrą inspiracją, a nie

---

5 Dominique Loreau, *Sztuka prostoty*, przeł. Joanna Sobotnik, Wydawnictwo Czarna Owca, Warszawa 2011.

jedynie zgrabną odpowiedzią na kilka oczywistych pytań. Jeśli po przeczytaniu tego rozdziału masz więcej pytań niż odpowiedzi, oznacza to, że jesteś na właściwej drodze, a ja osiągnęłam swój cel.

RELIGIA POTRZEB

Według jednej z definicji styl (sposób) życia to „całokształt zachowań i czynności, przez które ludzie zaspokajają swoje potrzeby i pragnienia"[6]. Naturalne jest, że jeśli pragnienia i potrzeby zostaną zminimalizowane, zmieni się również styl życia. Fascynuje mnie, jak dalece i samoistnie ulegają one ograniczeniu w wyniku zderzenia z odkrytymi wartościami. Współczesny stoik doktor Tomasz Mazur napisał, że „wszyscy dzisiaj jesteśmy wyznawcami religii potrzeb"[7]. W naturalny sposób uzależniamy nasze życie i szczęście od stopnia ich zaspokojenia. Liczba naszych potrzeb wzrasta ostatnio w zastraszającym tempie. Długo się nad tym zastanawiałam. Czy faktycznie mamy ich coraz więcej? Czy też pragnieniom nadaliśmy rangę potrzeby? Czym w istocie różnią się frywolne zachcianki od rzeczywistych potrzeb? I czy to w ogóle jest problem?

Człowiek jest dziwnym stworzeniem. Niby rozumiemy, że liczba posiadanych rzeczy nie daje nam szczęścia, ale jednak instynkt pcha nas ku ich gromadzeniu. „Powstają swoiste pragnienia konsumpcyjne, mające swe źródło w społecznym procesie kreowania znaków i symboli. Wydaje się, że w tym kontekście na

---

[6]   R. Szarfenberg, *Polityka społeczna*, www.rszarf.ips.uw.edu.pl/psiks/ps/wyklado3.pdf.

[7]   Źródło tego i kolejnego cytatu: www.tomaszmazur.edu.pl/mowy-stoickie/o-potrzebach.

plan pierwszy wysuwa się potrzeba bycia szczęśliwym". A może w pewnym momencie wystarczy uwierzyć, że rzeczy nie sprawią, że będziesz lepsza, mądrzejsza lub szczęśliwsza? Co Twoje przedmioty mówią o Tobie? Co sprawia, że odczuwasz tak duży opór przed ograniczeniem zakupów lub przed pozbyciem się czegoś?

A może w pewnym momencie wystarczy uwierzyć, że rzeczy nie sprawią, że będziesz lepsza, mądrzejsza lub szczęśliwsza?

Takie dywagacje są trudne i bywają groźne – gdy pozbawisz siebie całej tej materialnej otoczki, może się okazać, że pod spodem nic nie ma. Bądź szczera sama ze sobą. Odważ się. Czy kiedykolwiek zastanawiałaś się nad tym, kim byś była, gdybyś niczego nie miała?

To, co posiadamy – przedmioty, stanowiska, tytuły – to wszystko atrybuty, które mają nas uwiarygodnić w oczach innych ludzi. Nie ma powodu do obaw, dopóki świadomie korzystamy z takich narzędzi i dopóki są to wyłącznie narzędzia, a nie warunki naszego dobrego samopoczucia. Moja znajoma, która ma wszystko – rodzinę, dzieci, w miarę dobrze zarabia, choć nie jest też szczególnie zamożna – po kilkudziesięciu latach pracy straciła, ważne w jej społeczności, dyrektorskie stanowisko. Ta sytuacja niesamowicie ugodziła w jej poczucie własnej wartości, załamała się. Okazało się, że przez lata budowała swoją samoocenę wyłącznie na tym, *co posiada* (tytuł dyrektorski, poważanie i atencja innych), a nie na tym, *kim jest*.

Rzeczy, tytuły lub stanowiska przemijają i jest to zupełnie normalna kolej rzeczy. Nadmierne przywiązanie się do nich nigdy nie wpłynie na Ciebie pozytywnie. Wyobraź sobie, że nagle tracisz wszystko – pracę, mieszkanie, samochód, dorobek życia, może nawet rodzinę. Stoisz ogołocona z wszystkich przedmiotów, pozorów i swoich atrybutów. Zostaje Ci wyłącznie to, *kim jesteś*. Czujesz się komfortowo i bezpiecznie? A może odczuwasz zagubienie, niepewność, a nawet przerażenie? Nie bój się, to naturalna reakcja. Zapewne nikt wcześniej nie zmusił Cię do tak brutalnego skonfrontowania się z samą sobą. Nie wyrzucił tak szybko ze strefy komfortu. Pomyśl o tym, co poczułaś. Być może będzie to dla Ciebie znak, impuls do zastanowienia się, czy również nie nadajesz zbyt dużego znaczenia przedmiotom, stanowiskom lub tytułom. Czy zechcesz coś z tym zrobić, to już zupełnie inna kwestia. Minimalizm nie będzie magiczną szczepionką na wszystkie życiowe problemy. Uproszczenie życia nie polega na ucieczce od zmartwień, nie jest drogą na skróty. *Minimalizm może się stać katalizatorem zmian w Twoim życiu, ale nie obejdzie się bez wysiłku. Musisz chcieć coś zmienić, a przy tym być konsekwentnie uczciwa w stosunku do samej siebie* i szczerze odpowiedzieć na wiele trudnych pytań. Jeśli chcesz pójść w moje ślady (a zakładam, że tak, skoro trzymasz w ręku tę książkę), odpowiedz sobie na te pytania: Co w moim życiu liczy się najbardziej? Czy to, co robię, przynosi mi prawdziwą satysfakcję? Jaki jest mój cel w życiu? Czy to, co robię, jest spójne z moimi wartościami?

Do niczego nie namawiam – pragnę tylko pobudzić Twoją świadomość. Wybór należy wyłącznie do Ciebie.

PARADOKS WYBORU

Razem z MM chodzimy czasem na kolację do naszej ulubionej hinduskiej restauracji w Warszawie. W menu znajduje się co najmniej kilkadziesiąt pozycji. Zawsze jednak wybieramy spośród dwóch, trzech ulubionych i sprawdzonych dań. Pewnego dnia postanowiliśmy zaszaleć i spróbować czegoś zupełnie nowego. Był to jedyny raz, gdy wyszłam z tego miejsca nie do końca zadowolona ze zjedzonego właśnie posiłku.

Zaryzykuję stwierdzenie, że jeszcze nigdy człowiek nie miał takiego ogromu możliwości jak we współczesnych czasach. Oczywiście, zawsze pojawią się jakieś zewnętrzne ograniczenia naszych wyborów, ale niewiele ich pozostało. Nie jest już przeszkodą polityka, nikt nie reglamentuje dostępu do dóbr lub jakichś działań (na przykład problem z wyjazdem za granicę, z którym borykało się pokolenie moich rodziców). Nie istnieją aż tak poważne podziały klasowe jak w przeszłości (na przykład chłopi versus szlachta). Co najważniejsze, posiadamy pełen dostęp do najważniejszego zasobu – informacji. Jednocześnie jeszcze nigdy społeczeństwo nie było tak sfrustrowane i zmęczone. Moje obserwacje z kilkunastu ostatnich lat prowadzą nieuchronnie do wniosku, że *szukanie idealnego rozwiązania stało się współczesną bolączką*.

Przyglądałam się ostatnio MM, gdy próbował kupić sobie nowy komputer. Nie skłamię, jeśli powiem, że na poszukiwaniach spędził co najmniej kilkanaście godzin. Porównywał modele, parametry, analizował dane techniczne. Cel był jasny – znaleźć najlepszy laptop spośród tych w wybranej półce cenowej. Kłopot polegał na tym, że chociaż korzystał z zaawansowanych wyszukiwarek i porównywarek, przeglądał dziesiątki recenzji i opinii kupujących, ciągle nie miał poczucia, że dokonuje właściwego wyboru. Wachlarz możliwości był po prostu zbyt duży. Końcowy zakup spełnił jego oczekiwania, ale czy nie pozostała pewna doza niepewności? A co, jeśli gdzieś tam istnieje coś lepszego?

Takie myślenie było kiedyś moim dużym problemem. Najczęściej ujawniało się w bardzo prozaicznych sytuacjach. Gdy pracowałam jeszcze na etacie w korporacji, co roku firma organizowała bal noworoczny. A jeśli bal, to oczywiście nowa sukienka. Pamiętam, jak za każdym razem spędzałam mnóstwo czasu na poszukiwaniach tej właściwej, najlepszej kreacji. Musiała być efektowna, a jednocześnie elegancka; wyjściowa, ale też wygodna. Równocześnie nie mogła kosztować za wiele, bo moja wrodzona oszczędność nie pozwalała mi na zbyt duże szaleństwo. Pech chciał, że czas poszukiwań przypadał na poświąteczny, styczniowy okres wyprzedaży. Chodziłam od sklepu do sklepu, a kiedy znalazłam już coś godnego zainteresowania, to zamiast to kupić i wyjść z centrum handlowego, prosiłam sprzedawczynię o rezerwację ubrania. Po czym, oczywiście, szłam szukać dalej, ponieważ cały czas byłam przekonana, że gdzieś tam, w gąszczu ubrań, znajduje się ta właściwa, uszyta z doskonałej tkaniny sukienka, w której będę wyglądać jak nie jeden, ale dwa miliony dolarów i za którą dodatkowo zapłacę grosze. Z każdym kolejnym sklepem byłam coraz bardziej zmęczona i sfrustrowana, a na koniec, naturalnie, wracałam do tego pierwszego i kupowałam odłożoną kreację. Ale to nie koniec historii, oj nie. Następnego dnia, słuchając w pracy opowieści koleżanek o tym, gdzie nabyły swoje sukienki, zdawałam sobie sprawę, że nie byłam jeszcze w kilku sklepach, a tam pewnie wisi ta moja jedyna. Zastanawiałam się: „Może oddać tę kupioną i poszukać innej?". To było kompletnie pozbawione sensu – istne błędne koło.

Kiedy myślę o tym z perspektywy wielu lat, widzę, jak bardzo zmieniło się moje życie oraz moje postrzeganie świata, również w odniesieniu do tych najbardziej banalnych sytuacji, jak kupno nowego ubrania. Wcześniej problemem był zbyt duży wybór. Być może znacie tę technikę sprzedawców, która pomaga im zawrzeć transakcję z kupującym. Polega ona na świadomym zawężeniu czyjegoś wyboru. Jeśli chcesz sprzedać długopis i pokażesz klientowi trzy różne przedmioty zamiast dwudziestu, kilkunastokrotnie zwiększysz swoją szansę na sfinalizowanie transakcji. Im mniejszy wybór, tym większe prawdopodobieństwo, że ktoś zdecyduje się na zakup. Co więcej, kupno jednego długopisu spośród trzech będzie dla klienta dużo bardziej satysfakcjonujące niż jednego spośród dwudziestu. Ograniczenie potencjalnego wyboru działa więc na korzyść obu stron. Francuzi mają wspaniałe powiedzenie: *Trop de choix tue le choix*, co oznacza mniej więcej: „Zbyt wiele możliwości wyboru psuje przyjemność wyboru". Dlaczego by nie wykorzystać tego mechanizmu w codziennym życiu?

Zdarza się, że nasze wybory są ograniczane przez pewne czynniki zewnętrzne, na przykład grubość portfela lub stan zdrowia. Niemniej w pozostałych wypadkach możemy przecież samodzielnie zawęzić sobie wybór i osiągnąć dzięki temu większą satysfakcję z podjętej decyzji. Steve Jobs znany był ze swojego specyficznego stylu ubierania się. Codziennie przez kilkadziesiąt lat wkładał na siebie dokładnie takie same jeansy i czarny golf. Jest to doskonały przykład dobrze znanego w modowym świecie *statement look*, uniformu. Jobs zapytany o powód, dla którego ubiera się w taki, a nie inny sposób, odparł, że musi podejmować tyle różnorakich decyzji, że nie chce się dodatkowo zastanawiać nad ubiorem na dany dzień. To idealny przykład świadomego ograniczenia wyboru w celu zwiększenia komfortu życia.

Doskonałym narzędziem do wprowadzenia takiego podejścia jest właśnie minimalizm polegający na posiadaniu wyłącznie niezbędnych przedmiotów, powstrzymywaniu się przed nabywaniem kolejnych, niepotrzebnych dóbr, poświęcaniu czasu i energii tylko na najważniejsze działania oraz wyeliminowaniu zbędnych wyborów. Dlatego gdy w hinduskiej restauracji decyduję się na jedno danie spośród trzech, a nie trzydziestu, zwiększam swój komfort, a mój poziom satysfakcji w momencie opuszczenia restauracji jest wielokrotnie wyższy.

MINIMALIZM DLA KAŻDEGO?

Chciałabym móc napisać, że minimalizm jest narzędziem, które pomoże każdemu i w każdej sytuacji, ale tak nie jest. Doskonale zdaję sobie sprawę, że dla wielu osób minimalizm jest koniecznością, a nie wyborem. Nie mam też złudzeń – ich punkt widzenia i sposób postrzegania świata mogą się diametralnie różnić od moich. Należy jednak pamiętać, że problem nadmiaru nie dotyczy wyłącznie bogatych lub zamożnych ludzi. Oczywiście, najczęściej borykają się z nim osoby, które zarabiają wystarczająco dużo, żeby nie musiały się martwić o zaspokojenie podstawowych potrzeb swoich i swojej rodziny. *Można jednak żyć w nadmiarze, wcale nie będąc zamożnym człowiekiem.*

Zastanawiałaś się kiedyś, czym jest dla Ciebie dobrobyt? Co wpływa na podjęcie przez Ciebie danej decyzji? Z jakich elementów budujesz codziennie swoje życie? Co jest w istocie dla Ciebie ważniejsze: być czy mieć? Odpowiedzi na te pytania nie są ani proste, ani oczywiste. Skoro jednak trzymasz w ręku tę książkę, to znaczy, że ich poszukujesz. Nie podam Ci ich, ale pokażę drogę, którą można do nich dotrzeć.

ROZDZIAŁ 2

Pieniądze

„Sterta puchowych poduszek i pierzyn na łóżku, najlepiej obleczonych w zdobione poszewki, koronkowe lub wyszywane, im więcej, tym lepiej" – powiedział mój dziadek zapytany o symbol dobrobytu na wsi w czasach jego młodości. Do tego dodałby pewnie jeszcze święte obrazki. Ich liczba na ścianie również świadczyła o względnej zamożności mieszkańców.

Długo się zastanawiałam nad współczesnymi symbolami dostatku. Jestem w tym wieku, że nie pamiętam czasów kupowania na kartki, ale nie zapomnę peweksów, mojej pierwszej (i jedynej) lalki Barbie oraz radości z gum Turbo i Donald. Mam wrażenie, że ówczesnym wyznacznikiem statusu był dostęp do przedmiotów, a nie ich posiadanie. Dzisiaj, kiedy odwiedzam moje rodzinne miasto, widzę bardzo wyraźnie trzy symbole bezsprzecznie świadczące o pozycji finansowej, zawodowej i społecznej danej osoby – mieszkanie (a najlepiej dom pod miastem), samochód i telewizor (a nawet kilka). Kiedy rozglądam się po Warszawie, w której mieszkam i pracuję, trudniej jest mi wyłapać oznaki zamożności. Grupy społeczne tworzące się w dużym mieście są niezwykle zróżnicowane. Dla każdej z nich dobrobyt oznacza co innego, częściej bywa utożsamiany z luksusem. Czy takim symbolem może być samochód? Tak, choć raczej zabytkowy i odrestaurowany lub choćby w stylu vintage. A telewizor? Już nie, coraz więcej osób z niego rezygnuje lub nawet snobuje się na jego brak. Mieszkanie, a raczej jego lokalizacja, zawsze świadczyło i będzie świadczyć o pozycji i zasobach finansowych lokatora. Od lat obserwuję te zjawiska z fascynacją. Kiedy o nich piszę, staram się unikać jakichkolwiek ocen, podejmuję raczej próbę analizy własnych wyborów życiowych w powiązaniu z logiką współczesnych mi czasów.

W korporacji każdy piątek to tak zwany *casual Friday*. Można wtedy odpocząć od formalnego sposobu ubierania się i wskoczyć nawet w jeansy. Nie wiem, czy dzisiaj również tak jest, ale wiele lat temu do dobrego tonu należało noszenie koszulek polo, najlepiej z określoną metką. To był oczywiście niepisany zwyczaj. Kosztowały one od 150 do 200 złotych. I ja taką kupiłam. Chciałabym móc napisać, że był to mój świadomy wybór, że ta koszulka po prostu mi się podobała i dlatego wydałam na nią spore, jak na mój ówczesny budżet, pieniądze. Ale to nieprawda. Chciałam przynależeć do środowiska, a ubiór był najłatwiejszą formą pokazania, że tak właśnie jest. Ta właśnie metka była wtedy dla mnie swoistym symbolem dobrobytu, potwierdzeniem członkostwa w tej grupie.

Minimalista to człowiek niezwykle świadomy wartości pieniądza.

Mówi się, że pieniądze szczęścia nie dają, ale to, co możemy za nie kupić, już tak. Czy ta droga koszulka pozwoliła mi je odczuć? Teraz wiem już, że nie. Tak naprawdę „szczęście" (celowo w cudzysłowie) dają nam stojące za rzeczami wartości. Z psychologicznego punktu widzenia nie cieszyła mnie więc nowa koszulka, lecz to, że będę w niej ładnie wyglądać lub że zademonstruję swój status, bo jest to polo modnego projektanta. Szczęście trwało jednak krótko i było bardzo pozorne. Bo po co tak naprawdę kupiłam to ubranie? Żeby zabłysnąć, nakarmić tkwiący we mnie narcyzm, a może udowodnić swoją pozycję? Na pewno nie po to, żeby znaleźć sens życia, zbudować trwały związek lub coś osiągnąć.

ŚWIADOMOŚĆ WARTOŚCI PIENIĄDZA

Od tamtego momentu minęło wiele lat. Sporo w moim życiu się zmieniło, ale najważniejsze, co uległo przeobrażeniu, to moja świadomość, również w kontekście zarabiania i wydawania pieniędzy. *Nie sposób kontrolować własnego życia, jeśli nie panuje się nad swoim stosunkiem do pieniędzy.* Obecnie to nie one stanowią dla mnie punkt odniesienia, chociaż skłamałabym, gdybym powiedziała, że nie są ważne, a czasami wręcz niezbędne. Minimalista to człowiek niezwykle świadomy wartości pieniądza, a ja odczuwam ją bardzo mocno. To pieniądze pozwalają mi spełniać moje marzenia. To dzięki nim mogę pomagać bliskim w trudnych chwilach. To one w dużej mierze dają mi poczucie bezpieczeństwa, choć jednocześnie mam głębokie przeświadczenie, że jestem na tyle silna, zaradna i sprawcza, że jeśli kiedyś by mi ich zabrakło, to byłabym w stanie je zarobić, żeby utrzymać siebie i swoją rodzinę.

Czy kiedykolwiek zastanawiałaś się, ile pieniędzy potrzebujesz i ile chciałabyś ich mieć? Z najnowszego badania CBOS dotyczącego wysokości zarobków w kontekście jakości życia wynika, że według Polaków przeciętny dochód na osobę pozwalający zaspokoić jedynie podstawowe potrzeby wynosi 1177 złotych, zaś dochód umożliwiający dostatnie życie to 2595 złotych.

Wśród odpowiedzi można dostrzec regułę, że im większe potrzeby życiowe, tym wyższe podawane kwoty. Rozbieżność między najmniejszą a największą sumą pozwalającą na zaspokojenie podstawowych potrzeb wynosiła blisko 6 tysięcy złotych, natomiast różnica dotycząca zarobków pozwalających na dostatnie życie sięgała prawie 50 tysięcy złotych. Poziom oczekiwań zależał od obecnych dochodów, stopnia wykształcenia oraz miejsca zamieszkania. Ludzie lepiej wykształceni oraz mieszkający w większych miejscowościach podawali wyższe kwoty.

Chciałabym, żebyś zastanowiła się nad takimi właśnie oczekiwaniami finansowymi. Pomińmy oczywiście fantazje o wygranej w totolotka i dywagacje o tym, co zrobiłabyś z sumą na przykład 20 milionów złotych. Swoją drogą, chyba nigdy nie marzyłam o „szóstce" i nie zastanawiałam się, na co wydałabym te abstrakcyjne miliony. Dążyłam raczej do takiego momentu w moim życiu finansowym, w którym nie będę musiała rozważać, czy kupić sobie kozaki na zimę, czy jedzenie. Dlatego też pytam Cię o konkretną, realną sumę, która pozwoliłaby Ci wieść spokojne życie. *Wiesz, ile pieniędzy potrzebujesz co miesiąc? Policzyłaś kiedyś, ile wynosi Twoje minimum? Jesteś w stanie podać kwotę, po której osiągnięciu mogłabyś powiedzieć „wystarczy"?*

Był czas, gdy zupełnie nie potrafiłam powiedzieć sobie „stop". Pamiętam, jak tłumaczyłam się przed sobą, że przecież ciężko pracuję, zarabiam i stać mnie, żeby kupić sobie coś ładnego. Kłopot w tym, że zupełnie przegapiłam moment, w którym „dużo pracuję, więc kupuję" zmieniło się w „kupuję, więc dużo pracuję". Pamiętaj, apetyt rośnie w miarę jedzenia! To stare powiedzenie niestety zawiera w sobie dużo prawdy na temat ludzkiej natury. „Dzisiaj ludzie wiele oczekują tylko dlatego, że chcą. Chcenie stało się postulatem społecznym. Zastąpiło wcześniejsze bunty i rewolucje. Teraz ludzie chcą zarabiać, nie pracować". Chcenie „to nowa religia. Nie musi być uzasadniona, po prostu ją podano i nakazano wierzyć: ludzkie potrzeby są święte, a zbawienie przynoszą producenci. Jakkolwiek to brzmi, jest prawdziwe. Skalę tej religii mierzy się powszechnością jej wyznawców, najczęściej ludzi młodych, którzy wierzą, że im się należy"[8]. Bogactwo i obfitość stały się celem samym w sobie.

HEDONISTYCZNA ADAPTACJA

Kłopot w tym, że zupełnie przegapiłam moment, w którym „dużo pracuję, więc kupuję" zmieniło się w „kupuję, więc dużo pracuję".

Za ten stan rzeczy odpowiada zjawisko, które psychologowie nazywają hedonistyczną adaptacją. Jest to zadziwiająca zdolność szybkiego przystosowywania się do zmian sensorycznych i fizjologicznych. Mechanizm ten jest niezwykle prosty. Wyobraź sobie, że bardzo chce Ci się pić. Kiedy sięgniesz po wodę, pierwsze łyki będą Ci się wydawać spełnieniem marzeń. W połowie szklanki pragnienie ustąpi, może nawet stwierdzisz, że ta woda jest za ciepła lub niesmaczna. Na koniec zachce Ci się do toalety. W podobny sposób przyzwyczajamy się do dobrobytu, w tym do zasobów materialnych, którymi dysponujemy.

---

8   Jacek Wiosna Stryczek, *Pieniądze. W świetle Ewangelii. Nowa opowieść o biedzie i zarabianiu*, Wydawnictwo Literackie, Kraków 2015.

Zarabiając dużo, chcemy jeszcze więcej. W upalne lato tęsknimy za zimą. Kołem napędowym hedonistycznej adaptacji są dwa elementy: wzrost aspiracji oraz porównywanie się z innymi. Pierwszy z nich to wynik nieuchronnego powszednienia czegoś, co pragnęłaś zdobyć. Twój mózg szuka wtedy nowych bodźców i nowych źródeł zadowolenia. Chcesz więcej, ponieważ to, co masz, stało się zwykłe, naturalne i nie budzi już żadnej ekscytacji. Porównywanie się z innymi jest Ci zapewne dobrze znane – mnie doskonale, jeśli tylko przypomnisz sobie historię z koszulką. Kiedy wpadniesz między wrony, kraczesz jak one, a raczej bardzo chcesz krakać tak samo. Gdy sąsiad ma lepszy samochód, zaczynasz pragnąć tego auta dla siebie.

Opisuję te wszystkie mechanizmy, ponieważ wierzę, że świadomość ich istnienia bardzo pomaga. Uwarunkowania psychologiczne, które wynikają z ludzkiej natury, są silne, ale nie muszą Cię ograniczać, również w kwestii Twojego podejścia do pieniędzy i zakupów. Nasz instynkt każe nam zdobywać, zdobywać i jeszcze raz zdobywać. A ponieważ społecznie pożądane są właśnie pieniądze, to na nich najczęściej skupiamy swoją uwagę. Powstaje nowy model telefonu – trzeba go kupić. Dlatego, że jest potrzebny? Nie. Dlatego, że jest. Chęć zdobywania jest naturalnym odruchem, w końcu każdy z nas nie może się obejść bez jedzenia, mieszkania, przedmiotów koniecznych do zaspokojenia potrzeb oraz pieniędzy niezbędnych do ich nabycia. Największą naszą przywarą jest fakt, że w ogóle nie umiemy zastopować, powiedzieć sobie: „Koniec, nie potrzebuję więcej, zarabiam wystarczająco dużo, poprzestanę na tym, co mam". Jesteśmy jak chomiki w kołowrotku. Nie wierzysz? Wyobraź sobie, że dostajesz propozycję awansu. Zarobisz dużo lepsze pieniądze, ale szef wymaga nadgodzin. Wiesz, że przez to będziesz wracać do domu później, stracisz czas dla rodziny, siebie i dzieci.

Być może będziesz musiała czasem pojechać do biura w weekend. Przyjmiesz propozycję?

Rezygnacja z powielania istniejącego modelu wymaga sporej odwagi i dużej świadomości własnych potrzeb, ponieważ żyjemy w społeczeństwie, które nauczyło się chcieć więcej. Osoba, która odrzuci ten szablon i powie głośno: „Już mi wystarczy" lub „Zarabiam wystarczająco dużo", staje się podejrzana. Oczywiście, nie odkrywam tutaj Ameryki, opisuję dobrze znane mechanizmy. Skoro jednak doskonale zdajemy sobie sprawę z istnienia takich schematów myślenia, to dlaczego tak trudno jest nam się z nich wyłamać?

We współczesnym społeczeństwie korelacja pomiędzy tym, co mamy, a tym, kim jesteśmy, jest niezwykle silna. W uproszczonej sieci zależności i relacji dużo łatwiej jest ocenić drugą osobę przez pryzmat tego, co posiada – definiujemy się poprzez przedmioty, które nas otaczają. Niby czujemy instynktownie, że o być nie przesądza mieć, a jednak tak często dajemy się wciągnąć w wir pochopnych ocen, opartych na materialnych pozorach. Dlaczego tak się dzieje? Odpowiedź przynosi pewna intrygująca koncepcja, zwana teorią ewolucji. Za jej pomocą próbuje się tłumaczyć wiele mechanizmów ludzkiego działania. Zgodnie z nią tak usilnie gromadzimy dobra materialne wcale nie po to, by osiągnąć upragnione szczęście, lecz po to, żeby zapewnić przetrwanie swoim genom. Wiem, brzmi to przyziemnie, ale w gruncie rzeczy jest to całkiem logiczne wytłumaczenie naszych zachowań. Ponieważ wiemy, że wysoka pozycja zawodowa i duże zasoby finansowe świadczą o czyjejś inteligencji i sprawczości, to zapewne takiej osoby będziemy szukać na partnera, a nawet zobaczymy w niej matkę lub ojca naszych dzieci. *Dążenie do znaczącej pozycji w społeczeństwie sprawia, że ludzie mają tendencję do gromadzenia większej ilości dóbr, niż są w stanie skonsumować.*

Należy jednak pamiętać, że to tylko teoria. Jeśli to nie podstawowe instynkty, takie jak dążenie do zachowania ciągłości gatunku, zmuszają człowieka do gromadzenia dóbr materialnych, to może postępując w ten sposób, usilnie próbujemy osiągnąć szczęście?

PIENIĄDZE A SZCZĘŚCIE

Wpływ pieniędzy na szczęście – wokół tej kwestii narosła spora liczba mitów i miejskich legend. Niewątpliwie w naszym społeczeństwie korelacja pomiędzy tymi dwoma dobrami jest niezwykle mocno zakorzeniona. Okazuje się, że taka sytuacja charakteryzuje przede wszystkim państwa tak zwanego młodego kapitalizmu, a do tych Polska jeszcze należy. Istnieją znaczne międzykulturowe różnice w poziomie odczuwanego dobrostanu – od 2006 roku jest on monitorowany przez NEF[9], który publikuje znany ranking najszczęśliwszych krajów świata, tworzony na podstawie Happy Planet Index (HPI)[10]. Wskaźnik ten uwzględnia zadowolenie z życia mieszkańców danego państwa i oczekiwaną długość ich życia. Od lat zwyciężają w tym zestawieniu dość biedne kraje, takie jak Kostaryka czy Wietnam. Na szarym końcu listy plasuje się przykładowo wyjątkowo zamożny Katar. Konkluzja nasuwa się sama: *bogactwo lub zamożność zupełnie nie przesądzają o szczęściu.*

Badania niezbicie dowodzą, że pieniądze podnoszą poziom szczęścia tylko do czasu zaspokojenia podstawowych potrzeb, to znaczy do momentu, w którym mam gdzie mieszkać, co jeść i mogę wysłać dzieci do szkoły. Ale to, czy będę miała dom

9 New Economics Foundation – londyński think tank.

10 Happy Planet Index (ang.) – Indeks Szczęśliwej Planety.

o powierzchni 60 czy 200 metrów kwadratowych, a auto za 30 czy 200 tysięcy złotych, nie wpływa już na moje poczucie szczęścia. Ta różnica będzie miała raczej znaczenie dla mojej potrzeby sukcesu. Więcej nie znaczy lepiej, potrafimy udowodnić to empirycznie. Mam wrażenie, że w Polsce jeszcze długo nie uwierzymy w to, że pieniądze szczęścia nie dają, ponieważ zaczęliśmy się bogacić dopiero od niedawna.

MINIMALIZM WYMUSZONY A DOBROWOLNY

Nie zamierzam pisać w tej książce o skrajnościach – o osobach, które tak zminimalizowały swój zasób posiadania, że praktykują życie bez pieniędzy. Z dużą ciekawością przyglądam się takim wyborom, ale dla większości z nas jest to sytuacja raczej nieprawdopodobna, a nawet niezbyt pożądana. Nigdy nie miałam ambicji takiego zminimalizowania swojego dobytku, żeby móc spakować wszystko do jednego plecaka. Magiczna granica 100 rzeczy, tak rozpalająca wyobraźnię niektórych osób, nigdy mnie nie pociągała. Jestem człowiekiem wypośrodkowania, rozsądku. *Mieć mniej nie oznacza mieć zbyt mało, by móc spokojnie żyć.* Dla mnie oznacza to mieć tyle, ile potrzeba.

Marta Sapała postanowiła wziąć udział w pewnym eksperymencie, który opisała później w książce *Mniej. Portret zakupowy Polaków*[11]. Trwał on rok i polegał na powstrzymywaniu się od

---

11 Marta Sapała, *Mniej. Intymny portret zakupowy Polaków*, Grupa Wydawnicza Relacja, Warszawa 2014.

zakupów. Autorka sprawdziła na swoim przykładzie, jak przeliczyć czas na pieniądze, pieniądze na przedmioty, a przedmioty na relacje. Podjęła ona próbę całkowitego zminimalizowania potrzeb, tak aby kupować jak najmniej, a większość niezbędnych rzeczy czy usług pozyskać bez ponoszenia kosztów. Kiedy czytałam o tych codziennych, pełnych wyrzeczeń zmaganiach, nie mogłam uwolnić się od myśli Alberta Einsteina, że „upraszczać należy tak bardzo, jak to tylko możliwe, ale nie bardziej". Ten eksperyment niewątpliwie wiele nauczył jego uczestników, pomógł im wyrwać się z modelu nałogowego kupowania, uświadomił wartość pieniądza. Jednocześnie sprawił, że popadli w pewnego rodzaju obsesję niekupowania. Całe ich życie, większość codziennych działań było skupionych nie na minimalizowaniu potrzeb, ale na wynajdowaniu coraz to nowych sposobów na bezkosztowe pozyskanie dóbr materialnych czy usług. Wpadli zatem w nałóg antykonsumpcjonizmu i niejako wyrzekli się pieniędzy. To nie jest dobra droga i nie zachęcam Cię do przyjmowania takiej postawy, choć zapoznanie się z zapisem tych doświadczeń może być dla Ciebie inspirujące.

W tej książce nie będę również pisać o wymuszonym minimalizmie. Doskonale zdaję sobie sprawę, że w naszym najbliższym otoczeniu istnieje wiele osób, dla których życie pełne ograniczeń nie jest wyborem, ale koniecznością. To, że pominę tę kwestię, nie oznacza oczywiście, że jest ona nieistotna – nie czuję się po prostu kompetentna i uprawniona do pisania o biedzie. Nie pochodzę z bogatej rodziny i bywały chwile, że trzeba było zacisnąć pasa, czasami dość mocno, ale w zasadzie nigdy nie doświadczyłam prawdziwego niedostatku. Z tego powodu w tym poradniku będę pisać wyłącznie o dobrowolnym minimalizmie. Naturalnie, zdaję sobie sprawę, że aby móc z czegoś zrezygnować, trzeba to najpierw zdobyć, ale chcę też jeszcze raz podkreślić, że niskie zarobki nie wykluczają życia w nadmiarze, a wręcz często są z nim powiązane. Bo szkoda coś wyrzucić. Bo się jeszcze przyda.

PRZEKONANIA DOTYCZĄCE PIENIĘDZY

Nasze podejście do finansów opiera się na wyobrażeniach, które gromadzimy przez całe życie i które, podobnie jak te na swój temat, możemy swobodnie modyfikować. Przyjęło się, że niektórym oszczędzanie przychodzi łatwiej niż innym. Są tacy, którzy mają lekką rękę do wydawania pieniędzy. Schematy, według których działamy, mogą być bardzo zróżnicowane. Uważam, że najważniejsze to zdefiniować mechanizmy naszej psychiki, które wpływają na sposób, w jaki zarządzamy finansami.

Zabawne, że w rozmowie z dziećmi doskonale potrafimy wskazać podstawowe i właściwe zasady gospodarowania pieniędzmi. Tłumaczymy im, że pieniądze nie biorą się z niczego, że jak wydamy je na słodycze, to zabraknie na inne jedzenie, pokazujemy dzieciom, jak zaoszczędzić na wymarzoną zabawkę, umiemy zarysować różnicę pomiędzy potrzebami a zachciankami. Dlaczego więc sami z tych rad i umiejętności nie korzystamy?

Może dlatego, że wpojono nam, iż gromadzenie jest przejawem gospodarności? Przecież stale inwestujemy w przedmioty. Dbamy o przyszłość, kupując dom, samochód i drogie meble. Słowo „inwestycja" odmieniane jest przez wszystkie możliwe przypadki i nierzadko staje się uzasadnieniem dużych i drogich zakupów. W takim razie może ten cały minimalizm zupełnie nie ma sensu? Bo nabywanie rzeczy to przecież inwestowanie w swój wizerunek!

Wiele lat temu przeczytałam książkę Roberta Kiyosakiego *Bogaty ojciec, biedny ojciec*[12] i jeden jej fragment bardzo wyraźnie zapadł mi w pamięć. Jest w nim mowa o różnicy pomiędzy inwestycją a konsumpcją. Wbrew pozorom zaznaczenie oddzielającej je granicy nie nastręcza trudności. Jeśli kupiony przedmiot będzie na Ciebie zarabiał, czyli przynosił Ci zyski, to jest on inwestycją. Każda rzecz, usługa czy wysiłek, które takiego zysku w przyszłości nie zapewnią, stanowią element konsumpcji. Dla mnie najbardziej klarowny jest przykład dotyczący rynku nieruchomości. Jeśli kupuję mieszkanie, żeby je komuś wynająć, dokonuję inwestycji, ponieważ będę zarabiać na czynszu – to mój dochód. Jeśli jednak nabyłam lokal po to, żeby w nim zamieszkać, jest to zwyczajna konsumpcja. Nie dość, że na tym nie zyskuję, to jeszcze muszę te cztery kąty utrzymywać, dbać o nie, płacić czynsz i opłacać media. Nie twierdzę, że jest to zbędny zakup, przecież muszę gdzieś mieszkać, ale jednocześnie nie mogę nazwać go inwestycją. Z tego samego powodu prawie nigdy nie staną się nią samochód, telewizor, buty i sprzęt kuchenny.

Jestem niezwykle wyczulona na próby uzasadniania zbędnych zakupów słowem „inwestycja". Takie podejście prowadzi do mylenia obu tych pojęć. W jednym z popularnych miesięczników dla kobiet znalazłam rubrykę „W co zainwestować tej jesieni?", i bynajmniej nie chodziło o możliwość skutecznego pomnożenia oszczędności, ale o kupno najmodniejszych ubrań.

---

12   Robert Kiyosaki, Sharon L. Lechter, *Bogaty ojciec, biedny ojciec*, Instytut Praktycznej Edukacji, Osielsko 2006.

MINIMALIZM A OSZCZĘDZANIE

Czy minimalizm może być sposobem na oszczędzanie? Marta Sapała, o której wspominałam wcześniej, po roku niekupowania napisała tak: „Nigdy wcześniej nie czuliśmy się tak bezpiecznie. Spłaciliśmy debet, zamroziliśmy kartę kredytową i na przekór temu, co radzą analitycy, zaczęliśmy nadpłacać kredyt hipoteczny. Niewiele. Jakieś 15% raty miesięcznej. Robimy to konsekwentnie co miesiąc. Bankowa inżynieria jest nam na rękę; każda dodatkowa wpłata sprawia, że topnieje kapitał. A wraz z nim odsetki. W świecie, w którym dłużnicy (tacy jak my) nie mają kontroli nad wartością długu, taki mały ruch jest częściową secesją tej kontroli. Nawet, jeśli złudną, to pozytywnie wpływającą na codzienny nastrój"[13]. Przedstawiony tu mechanizm jest tak banalny, że aż wstyd pisać o takich oczywistościach. W skrócie: mniej zakupów to więcej pieniędzy w portfelu, więcej pieniędzy w portfelu to mniejsze długi, a mniejsze długi to większe oszczędności.

Wypracowanie zdrowych nawyków odnośnie do wydawania pieniędzy to klucz do zminimalizowania stanu posiadania.

Nie potrafię żyć, nie oszczędzając. Naprawdę. Nie wiem, czy tak mocno wpojono mi to w dzieciństwie, czy też wynika to z innych uwarunkowań, ale tak już mam. Nawet wtedy, gdy nic

---

13   Marta Sapała, *Mniej. Intymny portret...*, dz. cyt.

miałam wiele, odkładałam choć kilka złotych na czarną godzinę. A gdy już zupełnie zabrakło mi gotówki, wiedziałam, że jak tylko sytuacja się poprawi, będę musiała odbudować swoje oszczędności. Być może dlatego rozsądek na zakupach jest mi tak bliski, choć zdarzyło się, że na kilka lat o nim zapomniałam.

„Wracałam z pracy i wstępowałam do centrum handlowego, które miałam po drodze, z myślą, że sobie pospaceruję, bo praca siedząca. Wychodziłam z prezentem dla samej siebie «bo zasłużyłam» lub «na poprawę humoru» (stabilizacja emocji). Gdy okazywało się, że w szafie jest bałagan, bo rzeczy się nie mieszczą, robiłam paczkę dla koleżanek, bo porządek musi być. Gdy zaczęłam pozbywać się rzeczy jeszcze z metkami, to zrozumiałam, że mam problem, który nazywa się marnowaniem pieniędzy. Myślę, że «marnowanie» to słowo kluczowe. *Minimalizm to przeciwieństwo nadmiaru, a więc marnowania* [podkr. aut.]" – napisała Marcela, jedna z moich Czytelniczek, która zgodziła się podzielić opowieścią o swojej drodze do minimalizmu. Nie sposób się z nią nie zgodzić. Trwonimy wiele z otrzymanych lub ciężko zdobytych zasobów, a w sferze finansów to marnowanie po prostu jest nam najłatwiej zauważyć.

Jeśli chodzi o pieniądze, z minimalizmu jako narzędzia możesz skorzystać dwojako. Z jednej strony ograniczając stan posiadania przez sprzedaż niepotrzebnych przedmiotów zajmujących Twoją przestrzeń. Z drugiej zaś unikając niepotrzebnych zakupów. Oba sposoby są warte odnotowania, ale tylko jeden z nich jest naprawdę efektywny. Przede wszystkim, czy Ci się to podoba, czy nie, raz wydanych pieniędzy nie odzyskasz już nigdy. I nieważne, czy chcesz się pozbyć pary spodni z metką znanego projektanta, czy też starego dzbanka kupionego na pchlim targu. Szanse, że przy odsprzedaży zarobisz kwotę, którą sama zapłaciłaś, są bliskie zeru. Dodatkowo niezwykle rzadko udaje się wyzbyć wszystkich rzeczy przeznaczonych do sprzedania – najczęściej jesteś zmuszona oddać je za darmo. Przykre, wiem, doświadczyłam tego wielokrotnie. Ta konieczność wynika również z faktu, że swoim rzeczom nadajemy najczęściej wartość emocjonalną i materialną dużo wyższą od tej, którą rzeczywiście posiadają. Tymczasem brutalne prawa rynku są niezmienne i jednakowe dla wszystkich. Dany przedmiot sprzedasz za tyle, ile ktoś będzie skłonny za niego zapłacić. Z tego powodu unikanie zbędnych zakupów jest tak istotne. Wypracowanie zdrowych nawyków odnośnie do wydawania pieniędzy to klucz do zminimalizowania stanu posiadania. Niezastosowanie się do tych reguł może doprowadzić do osobliwej sytuacji – chociaż pozbędziesz się nadmiaru z otaczającej Cię przestrzeni, szybko zapełnisz ją nowymi przedmiotami. To zupełnie jak efekt jo-jo towarzyszący zrzucaniu wagi.

Moja koleżanka z pracy, między innymi pod wpływem mojego bloga (mam prawo być dumna!), postanowiła oczyścić mieszkanie ze zbędnych i nieprzydatnych już przedmiotów. W celach wychowawczych w cały proces włączyła również swoje dzieci. Razem zdecydowali, które zabawki zostaną, a które sprzedadzą lub podarują domom dziecka bądź domom samotnej matki. Wybór tych rzeczy nie był łatwym zadaniem – szybko się okazało, że przez lata uzbierało się ich naprawdę dużo, więc proces oczyszczania trwał długo. Któregoś dnia jej czteroletni synek przyniósł zabawkę i oznajmił: „Mamo, nie będę się już tym bawił, może oddamy to biednym dzieciom?". Domyślacie się zapewne, jak dumna jest matka w takim momencie. Tyle że nie był to koniec deklaracji malucha: „Mamo, skoro oddałem grzecznie tę zabawkę, to kupisz mi teraz nową, dobrze?". Jest to idealny przykład wspomnianego wcześniej efektu jo-jo. Dziecko było szczere – w bezpośredni sposób wyraziło mechanizm myślenia zaobserwowany u swoich rodziców. Nam, dorosłym, trudno się czasem przyznać lub sobie uświadomić, że sabotujemy własne działania, a nasze nawyki i przekonania, również te dotyczące pieniędzy i kupowania, są niezwykle silne i trudne do przełamania.

Bo jak przestać kupować?

JAK PRZESTAĆ KUPOWAĆ?

To pytanie chyba najczęściej zadawane mi przez Czytelniczki bloga. Jeśli chcesz zapanować nad zakupami, mogę Ci w tym pomóc – wskazać najczęstsze błędy, dostarczyć odpowiednie narzędzia, uświadomić pewne mechanizmy psychiki. Mogę też zagwarantować Ci skuteczność tych metod, przetestowanych wielokrotnie na sobie i innych. Jednak żeby zadziałały, musisz naprawdę chcieć tej zmiany. Zapewniam, że nie podołasz temu zadaniu, jeśli nie będziesz uczciwa wobec samej siebie.

Czy Ci się to podoba, czy nie, raz wydanych pieniędzy nie odzyskasz już nigdy.

Albo chcesz przestać bezmyślnie kupować, albo nie. Tak samo jest z rzucaniem nałogu – silna wola to podstawa, reszta to tylko dodatek. W moim wypadku najlepsze efekty przynosi złożenie sobie obietnicy, z której staram się potem rzetelnie wywiązać. Dzięki temu nabieram do siebie zaufania i zyskuję poczucie własnej sprawczości.

Gotowa? Jeśli tak, to zaczynamy od rachunku sumienia i listy najczęstszych wykroczeń popełnianych na zakupach:

- zachowania kompensacyjne,
- zachowania kompulsywne,
- *window shopping*,
- brak precyzyjnej listy zakupów.

Błąd numer jeden to zakupy kompensacyjne. Według słownika pod redakcją profesora Jerzego Bralczyka wyraz „kompensacja" może oznaczać: „wyrównywanie własnych braków w jakiejś dziedzinie lub umniejszanie roli niepowodzeń przez wzmożoną aktywność w innej dziedzinie lub doskonalenie pozytywnych cech" lub „zrównoważenie określonego działania innym działaniem, które znosi lub wyrównuje początkowe działanie"[14]. Jakkolwiek by na to spojrzeć, zakupy odgrywają czasem właśnie taką rolę. Braki w życiu zawodowym czy też prywatnym wynagradzamy sobie wzmożonym nabywaniem produktów. Ma to nam zastąpić inne przyjemności. Dodatkowo nasz umysł w niesamowity sposób potrafi zracjonalizować nawet najbardziej niepotrzebny wydatek: „Kupię, bo mi smutno i miałam gorszy dzień", „Kupię, bo ciężko pracuję i mi się należy", „Kupię, bo tanio", „Kupię, bo ładne" i tak dalej, i tak dalej.

Reklamy także nie pomagają z tym walczyć – z reguły uderzają w nasz najczulszy punkt – jak chociażby ta ze sloganem: „Jesteś tego warta". Do listy wymówek można by w takim razie dorzucić jeszcze jedną: „Kupię, bo jestem tego warta". Bo przecież jesteś, prawda? Nie potrzeba pogłębionej analizy psychologicznej, żeby zauważyć, że takie kompensacyjne postępowanie jest niedobre. Wyrządza nam wiele krzywdy. Kupienie czegoś dla poprawy humoru w istocie nie wpłynie na Twój nastrój, za

---

14   *Słownik 100 tysięcy potrzebnych słów*, red. Jerzy Bralczyk, Wydawnictwo Naukowe PWN, Warszawa 2005.

to w prezencie otrzymasz solidne wyrzuty sumienia, że znowu zrobiłaś bezsensowne zakupy i zmarnowałaś pieniądze. Uporanie się z takim uzależnieniem nie jest łatwe, ale chyba nie muszę tłumaczyć, dlaczego warto to zrobić. To, że dużo wydajesz, nie oznacza, że żyjesz bardziej i mocniej. Oznacza tylko, że dużo wydajesz. Na koniec zostawię Cię ze zdaniem, które jedna z Czytelniczek napisała w komentarzu na moim blogu: „Nie jesteś psem, nie nagradzaj się jedzeniem". To bardzo mocna wypowiedź, nie przeczę, ale też trudno nie dojrzeć w niej ziarna smutnej prawdy.

Kolejne najczęściej spotykane wykroczenie to kompulsywne kupowanie. I znowu odwołam się do cytowanego słownika: kompulsywny oznacza „wykonywany pod wpływem niedającego się opanować wewnętrznego przymusu"[15]. Kompulsywne zakupy są więc już objawem zwykłego uzależnienia, takiego samego jak papierosy czy alkohol, i należy się z nich leczyć dokładnie tak samo jak z nałogu. Wiem, że brzmi to poważnie, ale jeśli przyjrzałabyś się z dystansem swoim nawykom, to wierz mi lub nie, rozpoznałabyś u siebie objawy uzależnienia, zwłaszcza gdy konsumpcyjnym szaleństwem coś sobie kompensujesz. Jedni zajadają stres, inni wpadają w pozornie nieszkodliwy nałóg kupowania. Nie potrafią poradzić sobie z uczuciami, emocjami i stresem, więc przedmioty stają się dla nich rodzajem emocjonalnych protez. Należy przy tym pamiętać o czymś, co zauważyłam w swoim wypadku – uzależnienie nie zawsze przybiera wyjaskrawioną formę. Raczej nie wykupisz połowy sklepu i nie przyjdziesz do domu z naręczem toreb i reklamówek. Zwykle jest to cichy nałóg, to znaczy kupujesz relatywnie mało i tanio, ale za to często: po pracy, zanim wrócisz do domu, wstępujesz

15   Tamże.

na chwilkę do galerii handlowej i wychodzisz z taniutką koszulką, nazajutrz – ze spodniami z wyprzedaży, kolejnego dnia – z kredką do oczu.

Kompulsywne zakupy często idą w parze z zachowaniami kompensacyjnymi. Jedna z Czytelniczek bloga opowiedziała mi, że kiedy tkwiła w toksycznym związku, po pracy zwyczajnie nie chciało jej się wracać do domu. Nie miała co ze sobą zrobić, więc chodziła do galerii handlowej. I tak dzień po dniu. Każdy tydzień wieńczyła sterta nowych rzeczy, które zupełnie nie były jej potrzebne. Ani się obejrzała, jak wpadła w swoisty nałóg. Poza innymi zmianami pomogło oczywiście odejście od partnera.

Ciekawa jestem, czy spotkałaś się już kiedyś z nazwą kolejnego błędnego zachowania, które chcę opisać. To tak zwany *window shopping*. Po raz pierwszy usłyszałam to określenie chyba od mojej koleżanki z czasów pracy w korporacji. W wolnym tłumaczeniu oznacza: „zakupy przez szybę". W praktyce nazywa się tak pójście do galerii lub do sklepu i kręcenie się po nich bez konkretnego celu. Uważamy, że to nieszkodliwe, bo przecież chcemy tylko popatrzeć... Często robimy tak na przykład wtedy, gdy chciałybyśmy coś kupić, ale nie mamy pieniędzy, lub gdy przymierzamy się do sezonowych zakupów i chcemy zobaczyć, co nowego w sklepach, lub gdy próbujemy zabić nudę w sobotnie popołudnie. *Window shopping* niekoniecznie musi się skończyć nabyciem jakiegoś towaru, natomiast najczęściej skutkuje frustracją, zmęczeniem i poczuciem straconego czasu. Dlaczego jest to błędne postępowanie? Ponieważ zachowując się w ten sposób, podtrzymujemy tylko swoje uzależnienie od kompensacyjnych czy też kompulsywnych zakupów.

Ostatnie zauważone przeze mnie wykroczenie to chodzenie na zakupy bez precyzyjnego wykazu rzeczy, które zamierzamy nabyć. Lista zakupowa to coś oczywistego, ale czasami zrobienie dobrego spisu wcale nie jest takie proste. Przykładowo w zeszłym roku zaplanowałam zakup kolorowej spódnicy na lato. Gdybym poszła do sklepu z takim punktem na liście, to utonęłabym w ogromie możliwości. Dlatego ważne jest, żeby uszczegółowić nasz cel tak bardzo, jak to tylko możliwe. Mnie potrzebna była kolorowa spódnica na lato, która powinna również spełniać szereg innych warunków: miała być długa, koniecznie z kieszeniami, najlepiej dość luźna i z rozcięciem. Dodatkowo chciałam, żeby pasowała do: białej, niebieskiej i pasiastej koszulki i nie miała wzorów (bo za nimi nie przepadam). Ponadto musiała się nadawać zarówno do miasta, jak i na plażę. Dopiero tak szczegółowy plan (odpowiadający w istocie tylko i wyłącznie moim realnym potrzebom) sprawił, że zwiększyłam szanse dobrego zakupu. Jak widzicie, na swojej liście uwzględniam również posiadane przeze mnie ubrania, do których upatrzona rzecz ma pasować. Kupuję ją dopiero wtedy, gdy jestem w stanie stworzyć z nią trzy, cztery nowe zestawy. Brzmi skomplikowanie? No cóż, wymaga to chwili zastanowienia, ale czy późniejsza nagroda, choćby w postaci poczucia, że mamy się w co ubrać, nie jest tego warta? Ważne: jeśli sporządzisz szczegółową listę, trzymaj się jej, choć nie będzie to proste i będzie wymagało sporo cierpliwości. Nie idź na kompromisy. W przeciwnym razie przedmioty, które znajdą się w Twoim otoczeniu, będą „prawie dobre", a Ty będziesz je „prawie lubić". Określ swoje potrzeby, wyznacz budżet i spokojnie, we własnym tempie szukaj, aż znajdziesz. Bądź elastyczna, ale nie gódź się na bylejakość.

Wiesz już, jakich błędów należy unikać. Pozostaje kwestia, w jaki sposób tego dokonać.

To, że dużo wydajesz, nie oznacza,
że żyjesz bardziej i mocniej.
Oznacza tylko, że dużo wydajesz.

Od razu poczynię pewne zastrzeżenie: kupienie sobie czegoś ładnego raz na jakiś czas to żaden grzech, naprawdę. Mnie też się to zdarza, choć sporadycznie. Chodzi tu raczej o zrezygnowanie z zakupów, gdy czujesz, że nie masz nad nimi kontroli, że wymyka Ci się to z rąk. Naturalnie zakładam, że rzeczywiście pragniesz coś z tym zrobić. Wiele osób pisze do mnie, że chce zacząć kupować mądrze, i pyta o radę, ale gdy tylko udzielę pierwszych wskazówek, w odpowiedzi otrzymuję litanię wymówek i usprawiedliwień dla siebie i swoich zakupów. Bo mąż, bo dzieci, bo teściowa. Zapewniam, że moim celem nie jest przekonanie Cię na siłę do ograniczenia wydatków. Jeśli nie czujesz takiej potrzeby, to nie jest to książka dla Ciebie. Jeśli jednak chcesz zacząć kupować w przemyślany sposób, to zapraszam do dalszej lektury.

Na koniec najważniejsze – ogranicz pokusy, a najlepiej je wyeliminuj. Nie chciałabym, żeby to zabrzmiało seksistowsko, ale niestety to my, kobiety, jesteśmy najbardziej narażone na zakupowe przynęty. Większość reklam i strategii marketingowych jest z pełną świadomością budowana tak, by dotrzeć ze swoim komunikatem bezpośrednio do kobiet. Wiem o tym doskonale, ponieważ przez wiele lat pracowałam w jednej z największych korporacji FMCG[16] na świecie. Za decyzje zakupowe w gospodarstwach domowych w ogromnej większości wypadków odpowiadają właśnie kobiety. Poza towarami i usługami, które nabywamy

---

16 *Fast-moving consumer goods* (ang.) – produkty szybkozbywalne.

bezpośrednio dla siebie (produkty z sektorów modowego i urody), kupujemy również dla swojej rodziny (głównie jedzenie), w tym dla dzieci (zabawki, ubrania, kosmetyki), a czasami również i dla swoich mężów lub partnerów (ubrania, kosmetyki). Cała opisana psychologia zachowań konsumenckich oraz uwarunkowań zakupowych jest skrupulatnie wykorzystywana przeciwko nam. Jak słusznie zauważyła kiedyś moja Czytelniczka Beata: „Zakupy to zabawa w kotka i myszkę ze specjalistami od marketingu. Mamy wrażenie, że jesteśmy kotem, który poluje na fajne okazje, a tak naprawdę jesteśmy myszką i to sprzedawcy polują na zawartość naszego portfela". Cóż, tak właśnie jest.

Przypomnij sobie, co pisałam o zakupowym wykroczeniu w postaci window shoppingu. Po pierwsze, bezcelowe buszowanie po sklepach to najwyższej jakości pożywka dla pokus. Naprawdę nie masz ciekawszych i bardziej rozwijających zajęć od kręcenia się bez celu i gapienia się na wystawy butików? Wiem, że zabrzmi to brutalnie, ale – o ile bycie na bieżąco w kwestiach modowych nie jest dla kogoś elementem pracy zawodowej – istnieje mnóstwo bardziej wartościowych sposobów na spędzanie wolnego czasu niż wędrowanie od sklepu do sklepu z myślą: „Nie chcę nic kupić, tylko popatrzę". Kłopot w tym, że prawie zawsze patrzenie prowadzi do wypatrzenia czegoś, co tym bardziej staje się przedmiotem Twojego pożądania, im dłużej się temu przyglądasz.

Po drugie, szlaban na *window shopping* dotyczy także sklepów internetowych! O ile wyjęcie gotówki z portfela chłodzi czasami nasze zakupowe zapędy, o tyle wykonanie czterech kliknięć i naciśnięcie entera takich wyrzutów sumienia nie wywołują. Nie jest jeszcze źle, jeśli niechciany towar można łatwo zwrócić, gorzej, jeśli nie ma takiej możliwości – wtedy produkt ten zostaje u nas na zawsze.

Po trzecie, chociaż pisząc to jako blogerka, strzelam sobie w stopę, powinnaś ograniczyć blogi i kolorowe czasopisma, a także strony typu Pinterest i Instagram. Jest to bardzo drastyczny krok, ale wstrzymanie napływu kolorowych inspiracji pomaga. Chociaż na jakiś czas. Jak to ładnie ujęła jedna z Czytelniczek: „Jeśli nie bombardujesz swojej wyobraźni ładnymi obrazkami ubrań i dodatków, łatwiej jest uporać się z poczuciem konieczności kupowania". Bingo!

CZY TO JEST CI NAPRAWDĘ POTRZEBNE?

Wabiki to najpotężniejsze marketingowe narzędzie oraz największy wróg kupującego. W dzisiejszym świecie naprawdę trudno nie ulec jakimkolwiek zakupowym pokusom, ale z pewnością można w zdrowy sposób ograniczyć ich wpływ na nasze decyzje. Załóżmy jednak, że nie udało Ci się uniknąć przynęty. Stoisz właśnie przed kasą z wieszakiem w dłoni, dosłownie za moment wyciągniesz portfel i złapiesz za kartę płatniczą. W końcu ciężko pracujesz, należy Ci się, prawda? Jesteś tego warta! To ostatni moment na podjęcie działania, które pomoże zrezygnować z niepotrzebnego zakupu. Pora na zadanie sobie kluczowego pytania: Czy to jest mi *naprawdę* potrzebne? Zawsze przed kupieniem czegoś nowego stosuję tę metodę, czasami nawet po kilka razy. To jedno zdanie jest moim kołem ratunkowym, kiedy już naprawdę nie mogę się powstrzymać. Dawno *postanowiłam, że – aby wieść zdrowe i szczęśliwe życie – w żadnym wypadku nie będę oszukiwać samej siebie.* Musisz być ze sobą całkowicie szczera, żeby to pytanie zadziałało. W przeciwnym razie Twój mózg łatwo Cię oszuka i wynajdzie kolejne, zapewne bardzo logiczne uzasadnienie dla zrobienia „plastikowych", w istocie zbędnych zakupów.

Niestety, ludzki umysł nie jest sprzymierzeńcem w takiej sytuacji. Okazuje się, że za uleganie zachciankom i popędom odpowiada nasz instynkt. To odruch właściwy dla naszych praprzodków, który przez wiele wieków ułatwiał im przeżycie i zapewniał ciągłość gatunku. Jest on bardzo silnie zapisany w naszych genach i nie ma od niego ucieczki. W gruncie rzeczy nasz mózg działa w bardzo prosty sposób. Dąży do powtarzania zachowań, które przynoszą przyjemność. Konfrontuje smaczne z niesmacznym, przyjemne z nieprzyjemnym. Okazuje się, że wcale nie jesteśmy aż tacy skomplikowani, prawda? W toku ewolucji większość tego typu mechanizmów musiała jednak ulec modyfikacjom, żebyśmy mogli dopasować się do nowych i zmieniających się warunków społecznych. Przykładowo seks odbierany był przez mózg naszego praprzodka jako zdecydowanie przyjemne doświadczenie, dlatego ów praprzodek dążył do powtarzania tej sytuacji. Niemniej jednak pofolgowanie swoim zachciankom na przykład z córką plemiennego wodza mogło się dla niego skończyć tragicznie. Człowiek nauczył się więc, że czasami warto powściągnąć popęd, aby w dłuższej perspektywie na tym skorzystać. W ten sposób zaczął się wykształcać mechanizm stanowiący zalążek tego, co obecnie nazywamy silną wolą.

Ośrodek samokontroli ulokowany jest w korze przedczołowej mózgu. Dzięki niej rozumiemy, że dążenie do natychmiastowej gratyfikacji nie zawsze jest czymś dobrym i na przykład na dzień przed egzaminem siadamy do nauki, zamiast iść na imprezę, lub odmawiamy sobie bezy z bitą śmietaną w imię zgrabnej pupy. Również dzięki samokontroli przestajemy palić papierosy. W toku ludzkiej ewolucji kora przedczołowa rozrastała się, powstawało coraz więcej połączeń między nią a innymi obszarami mózgu. Obecnie, w porównaniu z mózgami innych zwierząt, u człowieka stanowi ona znaczną część tego narządu. Jak zabawnie zauważyła Kelly McGonigal, doktor na Uniwersytecie Stanforda i autorka bestsellera *Siła woli*: „Między innymi dlatego nasz pies nigdy nie zacznie odkładać pewnych ilości swojej suchej karmy z myślą o emeryturze"[17]. Rozwinięta kora przedczołowa to nasz sojusznik w walce z bezsensownym wydawaniem pieniędzy.

W przeciwieństwie do mojego psa ja odkładam część swoich zarobków. Czy minimalizm może być więc sposobem na oszczędzanie? Oczywiście, że tak, choć najczęściej *oszczędności są pochodną zmiany stylu życia oraz przyzwyczajeń i przekonań dotyczących wydawania pieniędzy*. Jednocześnie tak samo jak nie upraszczasz życia dla samego faktu upraszczania, tak nie gromadź pieniędzy dla samego faktu gromadzenia. Niech pieniądze nie będą celem samym w sobie.

W początkowej fazie zmian, aby je wspomóc oraz poradzić sobie ze zbędnymi zakupami, potrzebna Ci będzie silna motywacja, najlepiej również finansowa. Możesz ją znaleźć na wiele różnych sposobów. Najczęściej spotykanym, najprostszym, a jednocześnie najbardziej żmudnym jest wykrycie, na co rzeczywiście przeznaczasz pieniądze. Polega on na zapisywaniu wszystkich wydatków w określonym przedziale czasowym, a następnie poddaniu zebranych danych rzetelnej analizie. Na co wydajesz najwięcej? Z czego możesz zrezygnować? W jakich sytuacjach i okolicznościach gotówka najczęściej wypływa z Twojego portfela? Kupujesz pod wpływem stresu czy raczej w wyniku euforycznej chęci sprawienia sobie nagrody?

Wiele osób motywuje odkładanie na wymarzony produkt lub na przeżycie wymarzonego doświadczenia (mnie częściej interesuje to drugie). Najczęściej jest to wysokiej jakości, kosztowny

---

17 Kelly McGonigal, *Siła woli. Poznaj i wykorzystaj mechanizmy samokontroli*, tłum. Katarzyna Rojek, Wydawnictwo Helion, Gliwice 2015.

przedmiot, podróż lub inwestycja we własny rozwój, na przykład w szkolenia i warsztaty. Oczywiście, oszczędzanie w tej formie i tak kończy się nabyciem jakiegoś przedmiotu, ale jest on potrzebny i wyczekany, a jego zakup – przemyślany. Szansa, że będziesz długo z niego korzystać, jest dużo większa niż przy spontanicznym zakupie. I nie ma tu znaczenia, na co zbierasz i ile to kosztuje. Może być to przykładowo produkt postrzegany przez innych jako zbytkowny. I cóż z tego? Ważne, że to Ty chcesz na niego zaoszczędzić. Odkładaj na spełnianie marzeń i nie daj sobie wmówić, że można je zrealizować wyłącznie na kredyt, jak przekonuje popularna reklama. Bądź świadoma wartości pieniądza. Niech Twoją zachętą do dalszego rozwoju stanie się lista spełnionych marzeń.

Myślenie o zwykłej lub wcześniejszej emeryturze to kolejny istotny czynnik motywujący. Należę do tego pokolenia, które zapewne będzie mogło tylko pomarzyć o emeryturze ze składek ZUS, dlatego też zbieranie środków, które wykorzystam na starość, jest dla mnie bardzo ważne. Podobnie ma się rzecz z odkładaniem na tak zwaną czarną godzinę – te pieniądze zapewniają nam poczucie bezpieczeństwa.

Na sam koniec zostawiłam najważniejszą, choć wyjątkowo niedocenianą kwestię, która moim zdaniem najsilniej nas motywuje. Dzięki zabezpieczeniu finansowemu możemy bowiem mniej pracować i częściej przebywać z rodziną. Oszczędności pozwalają zatem cieszyć się czasem z bliskimi oraz dają możliwość pomagania im, gdy będą tego potrzebować. Wydaje się to proste do osiągnięcia, ale w praktyce wcale takie nie jest.

Kiedy znajdziesz właściwą dla siebie motywację, codzienne decyzje dotyczące pieniędzy staną się zwyczajnie łatwiejsze. Czym innym jest rezygnacja z zakupu, gdy nie wiesz, w imię czego to robisz, a czym innym, gdy zdasz sobie sprawę, że cena tej koszulki to równowartość godziny Twojej pracy. Czy naprawdę chcesz ją zainwestować w ubranie?

Nie da się odseparować minimalizmu od kwestii finansowych. Myśli o powiązaniach między nimi same się nasuwają. Ograniczenie stanu posiadania często wywołuje zdziwienie otoczenia, pojawiają się również pytania: „Czy aby nie straciłaś pracy, skoro wyprzedajesz swój dobytek?" lub „Pewnie nie stać Cię na większe mieszkanie?". Czasami zadawane są z odwrotnej perspektywy: „W głowie Ci się poprzewracało, że oddajesz tyle dobrych rzeczy?" albo „Ale z Ciebie skąpiec, nie kupisz dziecku zabawki?".

Pieniądze, podobnie jak minimalizm, są dla mnie narzędziem, środkiem do realizacji celów, a nie celem samym w sobie.

Bywa, że moje podejście do posiadania rzeczy oraz zarabiania i wydawania pieniędzy wykracza poza przyjęte schematy. Jest inne, więc budzi zdumienie i prowokuje do zadawania pytań. Sięgnęłaś po tę książkę, więc odważnie zakładam, że szukasz impulsu do zmiany, że nie odpowiada Ci model, w którym żyjesz. Moją rolą jest wskazanie Ci nie konkretnych rozwiązań, ale inspiracji. Myśl. Zastanów się. Nie podążaj ślepo utartą ścieżką, nie naśladuj bezmyślnie cudzych działań. Nie wierz mi na słowo. Sprawdzaj.

Jeśli chodzi o kwestie finansowe, niewątpliwie żyję poza pewnym schematem. Jestem bardzo świadoma wartości pieniądza i dbam o to, żeby go nie zabrakło. Jednocześnie pieniądze mnie nie fascynują – daje mi to swobodę mówienia i pisania o nich. Zupełnie nie zwracam uwagi na to, kto ile zarabia i na co wydaje te środki. Nie żyję ponad stan. Minimalizuję swoje potrzeby, uwalniam się od zachcianek. Torebka nie jest przedmiotem mojego pożądania z uwagi na markę lub cenę. Wiem, ile pieniędzy potrzebuję, aby żyć wygodnie – resztę oszczędzam z myślą o realizacji marzeń i życiu według wyznawanych wartości. *Pieniądze są dla mnie ważne, ale nie przypisuję im znaczenia większego niż to, które faktycznie posiadają.* Podobnie jak minimalizm są dla mnie narzędziem, środkiem do realizacji celów, a nie celem samym w sobie. I paradoksalnie, łatwiej mi o nie, od kiedy przestałam się na nich tak bardzo skupiać.

To podejście, do którego dojrzewałam przez wiele lat, jest niezwykle wyzwalające. Jednocześnie nie przeszkadza mi ono w posiadaniu osobistego wyznacznika luksusu. *Moim symbolem dobrobytu jest teraz czas i możliwość jego swobodnego wykorzystywania.*

ROZDZIAŁ 3

Wolność

Napisałam kiedyś na blogu, że minimalizm oznacza dla mnie życie na własnych warunkach. Mimo że było to już jakiś czas temu, nie było takiego momentu, w którym identyfikowałabym się z tymi słowami bardziej niż teraz.

Gdy byłam dużo młodsza, wydawało mi się, że swobodne dysponowanie czasem to złudzenie. Uważałam, że w gruncie rzeczy wypełniam swój czas działaniami, które są mi narzucone. Byłam przekonana, że droga, którą podążam, jest już z góry wytyczona: po liceum idzie się na studia, po studiach znajduje się pracę i chodzi do niej na osiem godzin dziennie, w międzyczasie wychodzi się za mąż i wychowuje dzieci, kupuje się mieszkanie, samochód, telewizor... i tak dalej. Jestem pewna, że rozumiesz, co mam na myśli. Żeby było jasne – wcale nie uważałam (i nadal nie uważam!), że jest to zła ścieżka. Przez wiele lat funkcjonowałam według tego schematu i szczerze mówiąc, wcale się nie buntowałam. Ten styl życia nie był do końca moim świadomym wyborem, choć wtedy byłam przekonana, że tak właśnie jest.

Przez lata mocowania się z własnymi słabościami i ułomnościami oraz walki o swoje marzenia zrozumiałam, że to ja sama niepotrzebnie komplikuję sobie życie. Oczywiście, nie twierdzę wcale, że odkryłam remedium na wszystkie problemy tego świata i że już nie dopadają mnie wątpliwości czy problemy. Na pewno jednak dzięki minimalizmowi zdołałam uporządkować wiele naprawdę trudnych spraw.

Był czas, gdy czułam się jak organizatorka własnego życia. Zamiast cieszyć się jego pięknem, nieustannie planowałam sobie pracę, czas wolny i przyszłość – skrupulatnie niczym dwutygodniowe wakacje, w trakcie których trzeba zwiedzić tak dużo, jak tylko się da. Byłam pogrążona w organizatorskiej gonitwie i wciągałam w to najbliższych. Realizowałam nie zawsze własne ambicje i wciąż dokładałam sobie obowiązków. Czułam się odpowiedzialna za wszystko i wszystkich wokół. Nie miałam wyznaczonych priorytetów, każda rzecz była dla mnie równie ważna i równie dużo poświęcałam jej uwagi, niezależnie od tego, czy była to poplamiona koszulka, czy kryzys w pracy. Angażowałam się w najróżniejsze działania, zawodowe i prywatne, nie zapytawszy siebie, czy w ogóle mam na nie ochotę. Wydawało mi się, że jeśli nie skorzystam z jakiejś okazji, to już nigdy się ona nie powtórzy. Stale nie miałam czasu. Byłam sfrustrowaną i zagonioną niewolnicą ambicji i nieskończonych możliwości wyboru. Nie potrafiłam odmawiać.

Minimalizm to życie na własnych warunkach.

Ostatnio jedna z Czytelniczek zadała mi krótkie, choć trudne pytanie: „Czy patrząc na swoją młodość z perspektywy czasu, miałabyś jakąś wskazówkę lub życiową radę dla dwudziestolatków?". Przypomniałam sobie wtedy, jaka byłam tych kilkanaście lat temu i aż nie potrafiłam powstrzymać uśmiechu. Aby dojrzeć i dotrzeć do etapu, na którym się obecnie znajduję, musiałam zrozumieć znaczenie słowa „mniej" i zaakceptować jego istnienie. To ono na samym początku było dla mnie niczym małe objawienie. Gdybym mogła cofnąć się w czasie i powiedzieć jedną, jedyną rzecz samej sobie, byłoby to właśnie: „Mniej".

Mniej zastanawiania się.

Mniej zamartwiania się.

Mniej skrupulatnego planowania.

Mniej narzekania.

Mniej obowiązków.

Mniej...

Do powyższego wyliczenia dodałabym jeszcze element: *mniej* myślenia. Mam jednak obawy, że nie przez wszystkich Czytelników byłabym właściwie zrozumiana. Niemniej jednak również o to w tym chodzi.

Zwróćcie uwagę, że „mniej" nie oznacza „wcale". „Mniej" nie oznacza również „za mało". Jestem realistką. Nie da się zupełnie wyeliminować z życia takich sytuacji jak zastanawianie się czy zamartwianie, a planowanie w ogromnej mierze ułatwia życie i codzienną logistykę. Jednakże może być tego wszystkiego dużo *mniej*.

WEWNĘTRZNE PORZĄDKI

Podczas gdy doprowadzałam do ładu materialną sferę mojego życia, w sferze duchowej również odbywały się porządki. Dokładnie tak, jakby pozbycie się balastu ze świata zewnętrznego wydobywało na światło dzienne wszystko to, co nosiłam w swoim wnętrzu. Nie byłam wtedy szczególnie zadowolona z tego, co odkryłam. W dość bolesny sposób wyrzuciłam samą siebie z własnej strefy komfortu. Nastąpiła przykra konfrontacja z rzeczywistością. Okazało się, że życie, które wiodę, zupełnie nie odpowiada temu wymarzonemu. Funkcjonowałam w niesamowitym pośpiechu. Słowa „nie mam czasu" traktowałam jak doskonałą wymówkę i usprawiedliwienie właściwie w każdej sytuacji.

Skoro ciągle nie mam na nic czasu, to gdzie tak naprawdę on się podziewa? Na co i dla kogo poświęcam cenne minuty swojego życia? Kto decyduje, które zadania trafiają do mojego kalendarza?

„Mniej" nie oznacza „wcale". „Mniej" nie oznacza również „za mało".

Oczyszczanie przestrzeni wokół mnie sprawiło, że po raz pierwszy w życiu tak świadomie zapragnęłam spożytkować swoją energię również na wewnętrzne porządki i na poznanie siebie. Spędziłam godziny na dyskusjach sama ze sobą, na sortowaniu i segregowaniu myśli. Wróciłam do podstaw – do wartości. Nareszcie ustaliłam swoje priorytety. Żeby te działania były skuteczne, musiałam być ze sobą niezwykle szczera. Pamiętasz, gdy w pierwszym rozdziale pisałam o świadomości, wartościach i celu upraszczania? Teraz jest doskonały moment, żeby do tego wrócić i z punktu widzenia tych właśnie wartości przeanalizować różne sfery swojego życia. Nie łudź się, proszę, że to wszystko jest zadaniem na jeden wieczór – to proces, który wymaga czasu. Śmiem twierdzić, że mimo wszystko jest to jedyny tak skuteczny sposób, by życie w pośpiechu i przesycie zmienić w egzystencję pełną świadomości, satysfakcji, poczucia sensu i prostoty.

Dzięki tym porządkom odkryłam również, gdzie ucieka mi czas.

Jeszcze jako studentka pracowałam w jednej z największych kancelarii prawnych. W takich firmach rozliczenia z klientami są zazwyczaj godzinowe. Każdy kwadrans przeznaczony na pracę dla danego klienta należy skrupulatnie odnotować w grafiku, choćby była to zwyczajna rozmowa telefoniczna. Zastanawiałaś się kiedyś, jakie aktywności znalazłyby się w Twoim codziennym grafiku, sporządzonym z dokładnością do kilku minut? Gdybym mogła stworzyć szczegółowy zapis myśli i działań samej siebie sprzed kilkunastu lat, szybko by się okazało, że najwięcej czasu poświęcałam przeszłości i przyszłości – zastanawianiu się nad tym, co już było, i obmyślaniu tego, co będzie (z uwzględnieniem planów alternatywnych, oczywiście).

Nawyk gloryfikowania przeszłości i przyszłości jest mocno zakorzeniony we współczesnym społeczeństwie. Wszechobecne zegary przypominają o sekundach, które upłynęły i których już nigdy nie odzyskamy, a planery, kalendarze i organizery mają nas jak najlepiej przygotować na nadchodzące dni. Przełamanie tak wszechobecnego schematu myślenia wymaga naprawdę silnej woli.

„Przeżyłem wiele okropnych rzeczy – na szczęście większość z nich się nigdy nie wydarzyła" – napisał Mark Twain. Podobnie działo się w wypadku moich myśli, kształtowanych przez przekonania zbierane latami, stale uciekających do przeszłości, na którą nie miałam żadnego wpływu. A kiedy zbyt dużo z nich kotłuje się w głowie, trudno o klarowny obraz sytuacji. Dopiero po latach odkryłam, że to zjawisko ma swoją nazwę. Natrętnie powracające myśli to tak zwana ruminacja. Słowo to pochodzi z łaciny i oznacza przeżuwanie. Ruminacja to właśnie takie swoiste przeżuwanie myśli. Badania pokazują, że najbardziej narażone są na nią kobiety, i faktycznie, nie znam chyba żadnej, która by ruminacji nie doświadczyła. Mnie dopadała zazwyczaj wieczorami, często przed snem (ewentualnie w wannie). Kiedy umysł przestawał zajmować się tymi wszystkimi zajęciami i obowiązkami, które narzucałam sobie w ciągu dnia, płatał mi figle i przywoływał minione sytuacje, zdarzenia i dialogi. Przeżywałam swoją przeszłość na nowo. Przyznaj się, nigdy nie zdarzyło Ci się powracać w myślach do zaistniałej wcześniej nieprzyjemnej sytuacji i zmieniać jej zakończenia? Dodawałaś trafną ripostę ze swojej strony czy też żałowałaś, że nie zachowałaś się w inny sposób?

Gdy tylko przestawałam rozpamiętywać przeszłość, kierowałam swe rozważania ku przyszłości. Mogę spokojnie zaryzykować twierdzenie, że moim hobby było zamartwianie się, zastanawianie się, czy wszystko potoczy się tak, jakbym tego oczekiwała, oraz tworzenie alternatywnych planów, tak na wszelki wypadek.

Kiedy podejmiesz decyzję, że w Twoim życiu ma być czegoś *mniej*, będziesz musiała dokonać pewnego wyboru. *W większości wypadków nie masz wpływu na tok zewnętrznych wydarzeń, ale możesz ustalić sposób, w jaki będziesz na nie reagować.* Świadomość, że przecież mogę wpłynąć na to, o czym będę myśleć, a o czym nie, była dla mnie naprawdę dużym odkryciem. Skoro to moje refleksje, to mogę również świadomie je kontrolować, prawda? I już, to takie proste. Wtedy postanowiłam, że w moim życiu będzie *mniej* przeżuwania. Myśli to przecież tylko myśli. Nie są faktami, lecz odbiciem rzeczywistości i to ja zdecyduję, czy będzie to odbicie w krzywym zwierciadle, czy nie.

Uporanie się z natłokiem myśli nie jest proste, ale można się nauczyć celowo się im przyglądać, wyłapywać je jedna po drugiej, żeby uświadomić sobie, co stale zajmuje naszą głowę. Mój ulubiony sposób walki z ruminacją to metoda na Scarlett O'Harę, bohaterkę powieści Margaret Mitchell *Przeminęło z wiatrem*. W najtrudniejszych momentach swojego życia Scarlett ratowała się jednym stwierdzeniem: „Pomyślę o tym jutro". Zaskakujące, ale to naprawdę działa! Niekoniecznie musisz odkładać rozmyślania na jutro, możesz wybrać konkretny dzień i godzinę, na przykład: „Podumam o tym w czwartek o trzynastej w kolejce do lekarza". Gdy tak postanowisz, Twój umysł porzuci te rozważania na pewien czas. U niektórych takie spychanie myśli może skutkować tym, że odsunięte na drugi plan zaatakują w najmniej pożądanym momencie. Jeśli masz z tym kłopot, spróbuj odmiennej metody – jak tylko pojawią się niechciane przemyślenia, postanów, że poświęcisz im od razu na przykład dwadzieścia minut, a po upływie tego czasu powiesz im „stop". MM – zafascynowany astronomią, fizyką kwantową i tajemnicami wszechświata – wypracował sobie jeszcze inny sposób, z którego czasami chętnie korzystam. Polega on na próbie wzniesienia się ponad swoje troski i problemy. Czymże jest bowiem złośliwa koleżanka w porównaniu z ogromem wszechświata? Jesteś przecież tylko małym punkcikiem w tej niesamowicie wielkiej przestrzeni, pełnej planet, gwiazd i tajemniczych czarnych dziur. Takie podejście czasami naprawdę wyzwala.

Poradzenie sobie z przeszłością bywa niezwykle trudnym zadaniem, zwłaszcza gdy chodzi o traumę lub poczucie głębokiej krzywdy. Doradzanie w takich sytuacjach wykracza jednak poza moje kompetencje i możliwości – wymagają one sięgnięcia po profesjonalną pomoc psychologiczną, ponieważ nie sposób budować dobrej teraźniejszości i przyszłości bez solidnych fundamentów.

SEGREGACJA CZASU

Po uporaniu się z przeszłością postanowiłam zmierzyć się z przyszłością, a w szczególności ze stale wypełnionym kalendarzem. Podobnie jak segreguje się rzeczy, porządkowałam po kolei swoje obowiązki, projekty, zadania i plany.

W jaki sposób najczęściej próbowałaś uporać się z nadmiarem zadań? Założę się, że kupowałaś nowy notes, kalendarz lub organizer (w wersji papierowej bądź elektronicznej). Chodziłaś na warsztaty z zarządzania czasem i sobą w czasie. Ewentualnie próbowałaś łączyć wiele różnych sposobów organizowania czasu. Robiłaś listy zobowiązań i wykreślałaś te zrobione – im więcej odznaczonych pozycji, tym większa satysfakcja. Starałaś się, ale i tak nigdy nie udało się wykonać wszystkich zadań, prawda? Przepisywałaś je na kolejny dzień, a potem na kolejny i kolejny. Niezrealizowane zadania wisiały nad Tobą i pochłaniały Twój czas i energię. Metoda, którą osobiście przetestowałam i którą Ci teraz zaproponuję, jest zupełnie inna i niezbyt popularna.

Gdy będziesz znała swoje wartości i priorytety, odnalezienie sensu i celu podejmowanych przez Ciebie działań okaże się dużo prostsze, a uporanie się z obowiązkami łatwiejsze. Zmiana ta będzie nie ilościowa, ale jakościowa.

Są pewne codzienne obowiązki, z którymi zwyczajnie musimy się zmierzyć. Praca, dzieci, wizyty u lekarza i tym podobne.

Ale jest też cała masa zajęć, projektów i planów, z których można zrezygnować. Zamiast wpisywać kolejne zadania do kalendarza, od razu je odrzucałam. Naprawdę się tak da! Powoli, systematycznie i konsekwentnie zamykałam niepotrzebne projekty. Porzucałam mało rozwijające zajęcia lub te, do których zmuszałam się tylko dlatego, że kiedyś komuś coś obiecałam. Przestałam chodzić na różne spotkania, na których wcześniej pojawiałam się, bo tak wypadało. Z ogromną starannością wybierałam sprawy, którym poświęcę uwagę. Działałam niezwykle asertywnie, choć delikatnie. Przejęłam pełną odpowiedzialność za swój kalendarz. Przestałam faszerować się wymówkami, uzależniać swoje działania od innych osób. Każde napływające do mnie zadanie analizowałam pod kątem spójności z moimi wartościami i celami. Te, które się z nimi kłóciły, odrzucałam, choćby były nie wiadomo jak opłacalne, prestiżowe czy kusiły w jakikolwiek inny sposób. Pozbywałam się zadań, delegując je (jeśli było to możliwe) lub rezygnując z nich. Przestałam być ofiarą zbyt napiętego harmonogramu. Przewartościowałam zupełnie swoje zobowiązania. W jaki sposób?

Po raz kolejny kluczem jest słowo „mniej". Gdy będziesz znała swoje wartości i priorytety, odnalezienie sensu i celu podejmowanych przez Ciebie działań okaże się dużo prostsze, a uporanie się z obowiązkami łatwiejsze. Zmiana ta będzie nie ilościowa, ale jakościowa. Podobnie jak autor książki *Prostota*, Bill Hybels, przyznaję, że obecnie „mój harmonogram w o wiele mniejszym stopniu dotyczy tego, co chcę robić, w o wiele większym zaś tego, kim chcę się stać"[18], a wszystko to jest pochodną równania czasu.

18   Bill Hybels, *Prostota. Jak nie komplikować sobie życia*, tłum. Magdalena Filipczuk, Wydawnictwo Esprit, Kraków 2014.

GLORYFIKACJA ZAJĘTOŚCI

Czas, praca, pieniądze i przedmioty stanowią system naczyń po-
łączonych, w którym każdy element bezpośrednio lub pośrednio
wpływa na inny. Im więcej przedmiotów, tym potrzeba więcej
pieniędzy, większych nakładów pracy i tym mniej zostaje czasu.
I odwrotnie, im mniej przedmiotów, tym potrzeba mniej pieniędzy, mniejszych nakładów pracy i tym więcej czasu mamy dla
siebie. Jak już wiesz, moim symbolem dobrobytu jest czas, re-
dukuję więc liczbę posiadanych przedmiotów, minimalizuję
ilość potrzebnych pieniędzy i pracy przeznaczonej na ich zaro-
bienie. Wynikiem tego równania jest wolność.

> Im więcej przedmiotów, tym potrzeba więcej
> pieniędzy, większych nakładów pracy i tym
> mniej zostaje czasu. I odwrotnie, im mniej
> przedmiotów, tym potrzeba mniej pieniędzy,
> mniejszych nakładów pracy i tym więcej czasu
> mamy dla siebie.

Trudno jest z czegoś zrezygnować. To się tyczy nie tylko przedmiotów, którymi się otaczamy, lecz także zobowiązań w życiu
prywatnym i zawodowym, wszystkich zajęć, obowiązków, projektów i planów, które bierzemy na siebie bądź którymi obarczamy
naszych najbliższych. Kiedy zdawałam na studia prawnicze, były
jeszcze egzaminy wstępne. Niestety – a była to pierwsza tak do-
tkliwa porażka w moim młodym życiu – nie dostałam się na wy-
brany uniwersytet. Ściślej mówiąc, dostałam się, ale na kierunek

administracja. Jak to zwykle bywa, zabrakło mi dosłownie kilku punktów, żeby rozpocząć studia prawnicze. Dzięki pomocy rodziny mogłam sobie pozwolić na stacjonarne studiowanie administracji, a zaoczne – prawa. Założyłam sobie, że po pierwszym roku prawa, dzięki dobrym wynikom, podejmę naukę w trybie dziennym. Tak też się stało i przez rok kształciłam się na obu kierunkach. Wtedy doświadczyłam pierwszego poważnego dylematu, dotyczącego właśnie rezygnacji z czegoś. Rozum podpowiadał mi, żeby porzucić administrację. Tak byłoby łatwiej, wygodniej, mogłabym się skupić tylko na wybranych zajęciach. Cóż, nie zrobiłam tego. Nie byłam w stanie odpuścić. Nie dlatego, że pożądałam wszechstronnej edukacji, choć tak to sobie wtedy tłumaczyłam. Nie zrezygnowałam, ponieważ było mi szkoda. Szkoda poświęconego roku. Nie chciałam przepuścić okazji do nabycia wiedzy, która może kiedyś mi się przyda. Uważałam, że skoro już zaczęłam, to zacisnę zęby i doprowadzę sprawy do końca. Nieważne, że już tego nie potrzebuję, że nie daje mi to satysfakcji, że ciężko będzie mi pogodzić tak wiele obowiązków. W końcu do czegoś się zobowiązałam i należy się tego trzymać, prawda? Brzmi znajomo? Dziś już bym tak nie postąpiła. Zrezygnowałabym z niepotrzebnego balastu, żeby skupić się na czymś dla mnie najważniejszym.

Cały czas miewam takie dylematy, choć być może na inną skalę. Pojawiają się one stale również w rozmowach z moimi przyjaciółmi i znajomymi. Co zrobić, gdy projekt, w który zaangażowaliśmy nasz czas, energię i wysiłek, teraz, z różnych względów, przestał sprawiać nam przyjemność? Co zrobić, gdy serce podpowiada, żeby zrezygnować, ale rozum na to nie pozwala? Bo szkoda, bo żal, bo tyle poświęciło się na to czasu, bo może kiedyś się to do czegoś przyda...

Kiedy otrzymałam propozycję napisania tej książki, ponownie stanęłam przed koniecznością dokonania wyboru. Wiedziałam, że będzie to duży wysiłek, również jeśli chodzi o czas. Żeby mieć kiedy pisać, musiałam z czegoś zrezygnować: albo z obowiązków zawodowych, albo z czasu wolnego. Zdecydowałam więc, że w trakcie pisania nie wezmę dodatkowych spraw w kancelarii, którą prowadzę. Mylisz się, jeśli uważasz, że była to łatwa decyzja. W końcu, żeby móc prowadzić tę kancelarię, poświęciłam kilkanaście lat mojego życia na naukę i zbieranie doświadczenia, a teraz nie będę mogła zrobić z tego użytku. Być może klienci, którzy w tym czasie zapukają do moich drzwi, już więcej się nie pojawią. Być może stracę szansę na intrygującą sprawę lub duży zarobek.

Wbrew temu wszystkiemu wybrałam *mniej*. Okazało się to jedną z lepszych decyzji w moim życiu. Wiedziałam, że potrafię ograniczyć pokusy zakupowe, więc w portfelu pozostaje więcej pieniędzy i dzięki temu mam możliwość zrezygnowania z dodatkowej pracy. To przekonanie dało mi pełną swobodę działania, swobodę poświęcenia czasu na napisanie książki, co było moim marzeniem od dzieciństwa. Prawa do podjęcia tej decyzji udzieliłam sobie sama i to był właśnie moment, w którym bardzo wyraźnie poczułam korzyść płynącą z wolności dawanej mi przez minimalizm. To kwintesencja słowa „mniej".

AMBICJA I PRZECIĘTNOŚĆ

A przecież mogłam wybrać inaczej. Spróbować połączyć wszystkie obowiązki, złapać kilka srok za ogon. Mogłabym wtedy mówić o sobie, że jestem wybitnie wielozadaniowa. Wszyscy patrzyliby na mnie z zasłużonym podziwem. Nikt nie mrugnąłby nawet okiem, gdybym mówiła: „Nie mam czasu". W końcu skoro robię tak dużo rzeczy w ciągu dnia, to muszę być człowiekiem sukcesu.

Wybrałam jednak drogę „mniej", a nie jest to popularny wybór. *We współczesnym społeczeństwie trudno funkcjonować, gdy chce się od życia mniej niż inni. Egzystujemy w świecie gloryfikowania zajętości.* Trzeba pracować, rozwijać się, osiągać, zdobywać, mieć więcej, być bardziej. Wypełniać czas zajęciami po sam brzeg.

Dość łatwo przychodzi nam zrozumienie oczywistej różnicy pomiędzy mieć a być. Ciężko jest jednak zaakceptować, że w być również można się zatracić. Bo przecież chcesz *być*, prawda? *Być* mądra, piękna, inteligentna, zabawna, wykształcona, wyjątkowa i podziwiana. Chcesz *być* najlepszą matką, żoną, córką, szefową i pracownikiem. Być wcale nie musi łączyć się z mieć, żeby Cię spalać.

Jeśli świadomie wyłączysz się z tego pędu, bardzo prawdopodobne, że świat – a czasem nawet grono najbliższych osób – zarzuci Ci małość, naiwność, ale przede wszystkim lenistwo i brak ambicji.

Chwalimy dziecko, kiedy jest ambitne. To przecież bardzo pożądana cecha, hołubiona i oczekiwana przez rodziców, nauczycieli i wychowawców. Z reguły idzie ona w parze z ciekawością świata, wytrwałością i pracowitością. Idealnie. Z ambitnych dzieci wyrastają ambitni dorośli. Ludzie sukcesu. Osoby, które potrafią stale wychodzić poza swoją strefę komfortu. Osoby, które stale się uczą i wiele osiągają. Czasami naprawdę dużo. Chciałoby się powiedzieć: „Super! Co w tym złego?".

Zupełnie nic, dopóki ambicja jest pozytywną, pomocną siłą, motywującą do zmian, a nie czynnikiem prowadzącym do frustracji i niezadowolenia. Kiedy oczekujesz od siebie coraz więcej i więcej, chcesz być bardziej i bardziej, nagle zdajesz sobie sprawę, że wymagasz po prostu zbyt wiele. Coś, co sprawiało Ci przyjemność, nagle zaczyna budzić Twoją złość. Złość, że nie przystajesz do swoich rozdmuchanych wyobrażeń. Nie dajesz już sobie miejsca na pomyłki, porażki i błędy. Niestety, granica pomiędzy dobrą a toksyczną ambicją bywa czasami bardzo niewyraźna, a często zwyczajnie brakuje świadomości, że istnieje takie rozróżnienie.

Zawsze byłam ambitna. Jak coś sobie zamierzę, to wykonam to najlepiej, jak potrafię. Nie najlepiej na świecie, ale tak dobrze, jak tylko jestem w stanie. A jeśli nie będę umiała, to się nauczę – nie brak mi wytrwałości i cierpliwości. Z reguły wychodzę na swoje i wielokrotnie było mi z tym bardzo ciężko.

Wybrałam drogę „mniej", a nie jest to popularny wybór. We współczesnym społeczeństwie trudno funkcjonować, gdy chce się od życia mniej niż inni.

Przez długi czas nie byłam świadoma istnienia toksycznej ambicji. Próbowałam doścignąć swoje wybujałe oczekiwania, więc wciąż dokładałam do ognia, aż zapędzałam się w kąt – powstawała niezwykle frustrująca sytuacja, z której nie było już odwrotu. Do tej wybuchowej mieszanki dochodził jeszcze wszechobecny perfekcjonizm. Możesz sobie wyobrazić, jak trudno było mi sięgnąć niebotycznie wysoko podniesionej poprzeczki.

Wbrew pozorom ta frustracja nie wynikała z przyrównywania się do innych. Moja psychika jest skonstruowana w taki sposób, że porównuję się tylko ze sobą. Często radzi się, by nie zestawiać się z innymi, a jedynie z wczorajszym sobą, i być lepszym od tego siebie. Takie myślenie może stanowić ogromną pułapkę. *Ciągłe podnoszenie sobie poprzeczki i ściganie się z własnym cieniem bywa bardzo demotywujące.* A może zwyczajnie wystarczy chcieć *mniej*?

Żyjemy w dziwnym świecie. Z jednej strony lubimy być tacy jak inni, to daje nam poczucie bezpieczeństwa i przynależności do grupy. Z drugiej straszliwie się oburzamy, gdy ktoś ośmieli się oskarżyć nas o średniactwo. Kiedy tylko powiem głośno, że wystarczy mi czegoś mniej, w zasadzie natychmiast pojawi się głos zarzucający mi brak ambicji i właśnie przeciętność. A przecież nikt nie chce być przeciętny, prawda?

Chcesz się wyróżniać? Jestem przekonana, że tak. Nic w tym dziwnego. Ja również pragnę być jedyna w swoim rodzaju. Przecież tylko nietuzinkowe osoby osiągają sukces, są unikalne i kreatywne, prawda? Przez wiele lat dążyłam do tej wyjątkowości i nie pozwalałam sobie na oddech i odpoczynek. Nic, co robiłam, nie było wystarczająco dobre, zawsze szukałam sposobów, żeby wykonać coś lepiej i szybciej. Dotyczyło to pieniędzy, kariery i życia osobistego. Szłam na kompromisy i ustępstwa, zupełnie nie zdając sobie z tego sprawy. Wtedy wydawało mi się, że podejmuję słuszne decyzje. Spalałam się, wciąż poszukując najlepszej możliwej wersji samej siebie. Dokształcałam się, niemal rzucałam na wiedzę, książki i pomysły, zdobywałam umiejętności za pomocą narzędzi, a nie naturalnych mechanizmów. Niezwykle krytycznie patrzyłam na swoje dotychczasowe osiągnięcia. Kiedy ktoś prawił mi komplement, nie byłam w stanie wykrztusić z siebie słowa „dziękuję" – nie z uwagi na nieśmiałość, ale z braku wiary w szczerość tej osoby.

Otrzeźwienie przyszło, kiedy zrozumiałam i zaakceptowałam wagę słowa „mniej", głównie w odniesieniu do oczekiwań wobec własnej wyjątkowości. Postanowiłam: mniej ambicji i rywalizacji. Zamiast nieustannie być najlepszą, wybrałam bycie wystarczająco dobrą. Zadziwiające, że początkowo świat wcale nie zauważył tej subtelnej zmiany, która się we mnie dokonała. Wynika to z faktu, że przez cały ten czas wypełniałam swoje zobowiązania, również te zawodowe, dokładnie tak samo jak przedtem. Różnica tkwiła głęboko wewnątrz mnie, w moim podejściu do realizowanych zadań. Przestałam się spalać, frustrować i zastanawiać, co by było, gdyby... Dopiero gdy dokonałam dość radykalnej (w pojęciu niektórych) zmiany w swoim życiu zawodowym i odeszłam z etatu, który byłby spełnieniem marzeń wielu moich kolegów i koleżanek, znajomi zaczęli dociekać, dlaczego to zrobiłam.

Dziś nie muszę już walczyć o swoją nieprzeciętność, nie muszę jej sobie udowadniać każdego dnia. Nie szukam doskonałości i perfekcji. Nie jestem genialna ani nieomylna. *Popełniam błędy i pomyłki jak każdy człowiek. Upadam, a potem otrzepuję się i idę dalej. Jestem jednak autentyczna. Czasami nudna, czasami przewidywalna, ale prawdziwa.* I tego Ci życzę z całego serca. Odkrycie osobistych wartości dzięki minimalizmowi nadało mojemu życiu sens. Zrozumiałam, że *zamiast dążyć do czegoś wybitnego i nadzwyczajnego, lepiej jest skupić się na rzeczach sensownych i wartościowych.* Aby tak działać, wcale nie trzeba być najlepszym na świecie czy posiadać unikalnych talentów, wystarczy robić to dobrze.

Paradoksalnie razem z tą decyzją przyszło bardzo silne poczucie, że wcale nie jestem przeciętna. Mam głębokie przeświadczenie o własnej wyjątkowości, które nie ma nic wspólnego z toksyczną, spalającą ambicją. Razem ze świadomością własnych ograniczeń zyskałam przekonanie o sile osobistej sprawczości. Pielęgnowanie tych odczuć pozwoliło mi po raz pierwszy w dorosłym życiu osiągnąć prawdziwy spokój i wolność. Nie są mi one jednak dane raz na zawsze. Siła wypracowanych przez lata negatywnych wyobrażeń, toksycznej ambicji i perfekcjonizmu jest ogromna. Wbrew temu, co często słyszę i o czym czytam, nie da się z taką potęgą rozprawić za jednym zamachem. Z każdym kolejnym wyjściem ze strefy komfortu, a jest nim przykładowo pisanie tej książki, na nowo potrzebuję sobie świadomie powtarzać: „Hej, kobieto, nie spinaj się tak, nie musisz napisać najlepszej książki na świecie, niech będzie wystarczająco dobra". Przejście przez ścieżkę „mniej" sprawiło, że poczułam niewiarygodną wręcz wolność. Wolność od perfekcji i konieczności spełniania cudzych i własnych oczekiwań.

NIEIDEALNE ŻYCIE

Jaka jest pierwsza rzecz, którą robisz po powrocie z pracy? Parzysz kawę i siadasz na moment w fotelu, żeby odetchnąć, czy też rzucasz się w wir domowych obowiązków – przygotowywania obiadu, kolacji lub wstawienia prania? Co czujesz na myśl, że mogłabyś poświęcić cały wieczór na nierobienie niczego? Wyrzuty sumienia?

> *Zamiast nieustannie być najlepszą,*
> *wybrałam bycie wystarczająco dobrą.*

Wcale się temu nie dziwię. Żyjemy w świecie, w którym głośne przyznanie się do poświęcania swojego cennego czasu na leniuchowanie nie jest zbyt dobrze widziane. Panuje kult doskonalenia się. Społeczeństwo wysoko ocenia dokształcanie się, rozwój osobisty i sięganie po mistrzostwo w swych pasjach. Nie wystarczy biegać wieczorami dla kondycji, trzeba być maratończykiem. Nie wystarczy robienie zdjęć liści czy dzieci dla czystej przyjemności, wypada zorganizować sobie wystawę lub co najmniej prowadzić popularnego bloga poświęconego fotografii. Nie wystarczy czytać zwykłych powieści, należy sięgać po coś rozwijającego. Bo przecież trochę głupio jest tak nic nie robić, prawda? Co więcej, sama przecież pisałam o równaniu czasu. Szkoda tracić cenne godziny na bezproduktywne działania, doba ma ich przecież tak mało. Współcześnie trzeba coś robić, nawet jeśli ma się ochotę nie robić nic.

Mam znajomą, która jest młodą, bezdzietną mężatką. Jest jak perfekcyjna pani domu – idealna w każdym calu. Elegancka, nie nosi tenisówek, nie pali, nie przeklina, zawsze uważa na to, co mówi, a jej fryzura nigdy nie miewa złych dni. Pewnego razu w tym wzorowym życiu pojawiła się jedna mała skaza... Jechałam wtedy samochodem z nią i jej mężem. W pewnym momencie jej z pozoru idealny partner opowiedział dowcip, przeklinając przy tym siarczyście. Nigdy w życiu nie widziałam jej tak zmieszanej. To przecież było takie... nieperfekcyjne. Budowana z trudem fasada runęła w jednej chwili, odkrywając bolesną rzeczywistość. Skądinąd to był naprawdę śmieszny dowcip, a idealni ludzie nie istnieją.

A gdyby tak sobie odpuścić? Mniej się spinać, mniej dążyć do perfekcji, mniej wymagać od świata, mniej żądać od siebie?

Bo gdzie w tym wszystkim chwila na leżenie na trawie lub na kanapie, patrzenie na chmury, odpoczywanie, zwyczajną kontemplację rzeczywistości, pogrążenie w marzeniach i oddanie się przyjemnościom? W pewnym momencie, goniąc za doskonałością, zupełnie zapomniałam o czasie dla siebie – tym prawdziwym, gdy w niczym i od nikogo nie muszę być coraz lepsza. Kiedy tylko odsunęłam od siebie wszystkie niepotrzebne rzeczy, zbędne obowiązki i zadania, gdy przestałam utrzymywać toksyczne relacje, znalazłam również zgubiony czas.

To prawda, że zawsze jest coś do zrobienia, tego nie da się zmienić. Jednak kiedy wybierzesz mniej w jednej sferze, w innej zyskujesz więcej. Być może Twoja kuchnia będzie nie do końca posprzątana, paznokcie nierówno pomalowane, a sterta dziecięcych ubranek będzie czekać na wyprasowanie, ale czy świat się przez to zawali? Czy naprawdę stanie się coś złego? Kiedy próbujesz zadowolić innych, zapominasz o sobie i swoich marzeniach, którym masz się okazję przyjrzeć tylko wtedy, gdy na chwilę zwolnisz. Mówiąc komuś lub czemuś „tak", zawsze mówisz też „nie", niestety, najczęściej sobie. *Daj sobie prawo do leniuchowania, odpoczynku i nieidealnego życia.*

RELACJE

Okazało się, że minimalizm przełożył się na mój stosunek nie tylko do rzeczy materialnych, obowiązków i zadań, lecz także do kontaktów interpersonalnych. Relacje z innymi stanowią niezwykle istotną część życia, więc nie mogłam ich pominąć.

A może warto wyobrazić sobie minimalizm nie jako wieczne pozbywanie się, wyrzucanie i ograniczanie, ale jako świadome zostawianie?

Świadomie zerwałam część znajomości. Niektóre rozstania okazały się bardzo trudne, wręcz bolesne, ale *nie chcę, żeby toksyczne osoby (tak samo jak toksyczne przedmioty) znajdowały się w moim otoczeniu.*

Często spotykam się z opinią, że minimaliści to tacy smutni ludzie. Ciągle tylko wyrzeczenia i odmawianie sobie wszystkiego. A może warto wyobrazić sobie minimalizm nie jako wieczne pozbywanie się, wyrzucanie i ograniczanie, ale jako świadome zostawianie? Zostawianie wokół siebie ludzi oraz wartości materialnych i niematerialnych, z którymi faktycznie się identyfikujesz: przedmiotów, które są Ci potrzebne w codziennych zmaganiach, rzeczy i zadań, które przynoszą Ci radość, ludzi, których prawdziwie kochasz bądź lubisz, którzy odwzajemniają Twoje uczucia, którzy stanowią dla Ciebie wsparcie i inspirację oraz budują Twoją osobowość. Czy tak nie jest łatwiej? Pozbywasz się wszystkiego, co złe, nieprzyjemne i zbędne, a otaczasz się tylko tymi relacjami, działaniami czy przedmiotami, które są wyjątkowe, choć ta szczególność może tkwić właśnie w ich zwyczajności albo nawet ułomności. *Czy naprawdę Twoim celem jest posiadanie wszystkiego, doświadczenie wszystkiego i bycie przyjacielem wszystkich?*

Zbudowanie wartościowej relacji z drugim człowiekiem wymaga czasu, na którego brak często narzekamy. Mój dziadek zapytał mnie niedawno, o czym będzie ta książka. Wiedziałam, że gdy powiem po prostu: „O minimalizmie", to nie będzie to dla niego satysfakcjonująca odpowiedź. Odrzekłam więc, że trochę o tym, jak dobrze żyć. Wiecie, co mi odparł? Że gdyby to była książka o umieraniu, to chętnie by ją poczytał. Ten żart naprawdę dał mi do myślenia.

Wspomniany już przeze mnie Bill Hybels, ewangelicki pastor i autor książki *Prostota*, opisał w niej najbardziej typowe sytuacje związane z ostatnimi momentami przed śmiercią, z którymi miał do czynienia w trakcie swojej posługi. Najbardziej fascynują mnie wnioski dotyczące nie tego, co robimy w ostatnich chwilach naszego życia, ale raczej tego, co nigdy się wtedy nie wydarza. Okazuje się, że żaden człowiek nie prosi o możliwość potrzymania walizki z pieniędzmi, które zaoszczędził, nie prosi o przyprowadzenie pod szpitalne okno swojego auta, żeby ostatni raz na nie popatrzeć, nie prosi także o wgląd do firmowych dokumentów, żeby móc jeszcze przypilnować biznesu.

W chwili, w której przyjdzie mi się żegnać ze światem (tak, zdarza mi się o tym myśleć! to pomaga szybko odnaleźć właściwy punkt odniesienia w życiu), chciałabym móc sobie powiedzieć, że nie żałuję i że przeżyłam dobre, sensowne życie, miałam czas na ważne rzeczy, przykładałam mniejszą wagę do rzeczy nieistotnych, a dałam sobie możliwość wyboru tych najważniejszych.

Czas to system naczyń połączonych. Żeby zwiększyć jego ilość w jednym miejscu, jednocześnie musisz odjąć go w innym. Tak już jest ten świat ułożony – doba ma tylko dwadzieścia cztery godziny, niezależnie od tego, ile masz w życiu szczęścia czy pieniędzy. Czas nie podlega zwrotom tak jak sukienka w sklepie. Nie można powiedzieć: „Dzień dobry, jednak źle wykorzystałam ten czas, poproszę z powrotem trzy godziny". Żeby gdzieś zyskać, gdzie indziej musisz stracić.

Marcela, moja Czytelniczka, pisze: „Aby skupić się na czymś konkretnym, trzeba umieć dokonać wyboru i zrezygnować z czegoś innego. A skąd mamy wiedzieć, co jest naprawdę ważne, a co zbędne i niepotrzebne, skoro nie jesteśmy świadomi swoich prawdziwych potrzeb płynących z serca, bo od dziecka lecimy na autopilocie cudzych potrzeb i wartości wpojonych nam przez rodziców, znajomych, środowisko, szkołę itp.? Gdy to, co czujemy w środku, nie zgadza się z tym, co nam wpojono (myślenie nawykowe, bezmyślne powtarzanie za innymi), czujemy się winni, bo jesteśmy nauczeni, aby podążać za zaprogramowanym umysłem, i gdy pojawia się konflikt umysłu z emocjami, mózg przejmuje kontrolę, racjonalizując, pouczając i karcąc serce za bycie «głupiutkim» i «niegrzecznym». Z każdą taką sytuacją mamy coraz mniejszy kontakt z własnymi emocjami, często nie dostrzegając przyczyn stosowania tak zwanych poprawiaczy humoru – jedzenia, alkoholu, zakupów".

Mniej relacji z niewłaściwymi ludźmi – *więcej* czasu dla najważniejszych osób.

Mniej zamartwiania się i toksycznego myślenia – *więcej* czasu na skuteczne i efektywne działanie.

Mniej skrupulatnego planowania przyszłości – *więcej* czasu na przeżywanie ważnych chwil tu i teraz.

Mniej bezmyślnego wywiązywania się z zadań i obowiązków każdego dnia – *więcej* czasu na realizację najważniejszych celów i marzeń.

Zbędne rzeczy, jak każdy inny balast, mogą stać się poważną przeszkodą w realizacji naszych życiowych planów. Chcesz zmienić miejsce zamieszkania, ale nie masz siły zmierzyć się z tymi wszystkimi przedmiotami, które musiałyby się przeprowadzić razem z Tobą. Marzy Ci się trzytygodniowa wyprawa z plecakiem, ale kuchnia domaga się remontu, mąż telewizora, a Tobie przydałby się porządny płaszcz na wiosnę. *Coś za coś. Rzeczy w zamian za możliwości.*

Minimalizm to narzędzie, które pomaga uporać się nam z sumą pojedynczych codziennych decyzji.

Wydaje się, że wszystko, co napisałam, to dość abstrakcyjne, górnolotne myśli. Tymczasem minimalizm i idące za nim krok w krok słowo „mniej" mają swój bardzo praktyczny wymiar, chciałoby się nawet rzec: prozaiczny. W istocie minimalizm to narzędzie, które pomaga uporać się nam z sumą pojedynczych codziennych decyzji. Czy kupić kawę i ciastko na wynos, czy poświęcić czas na porządne śniadanie? Czy wziąć kredyt, choć jego spłata będzie się wiązać z nadgodzinami w pracy i ograniczonym czasem dla rodziny? Czy iść na firmową imprezę tylko po to, żeby się pokazać, choć tak naprawdę wolimy spędzić ten czas z partnerem? Czy zadłużyć się, kupując nowy, duży telewizor, bo nie wypada takiego nie mieć?

W miarę łatwo jest uczynić z minimalizmu atrakcyjne hasło, trudniej jednak faktycznie się z nim utożsamiać na co dzień, gdy tak bardzo chce się kupić tę śliczną świeczkę, koleżanka ma pachnące nowością piękne buty, a sąsiad większą trampolinę dla dzieci w ogrodzie. Dzięki minimalizmowi wiem, ile pieniędzy potrzebuję na życie, i na tym poprzestaję. *Mniej przedmiotów równa się mniejszej potrzebie pieniędzy, to z kolei oznacza mniej pracy. Odzyskuję czas, który mogę przeznaczyć na sprawy, które w danej chwili są dla mnie ważne*: na spacer z psem, niespieszny, wspólny obiad w ciągu dnia, podróże czy pisanie książki. Pełna świadomość tego, jakie mam wartości, cele i marzenia, pozwala mi się łatwo rozprawiać z uporczywymi pytaniami, które dopadają mnie każdego dnia. W razie wątpliwości przypominam sobie znaczenie i wagę słowa „mniej". To daje mi ogromne poczucie wolności.

ROZDZIAŁ 4

Porządkowanie emocji

Możemy upraszczać życie z różnych pobudek. Mogło być kilka powodów, dla których sięgnęłaś po ten poradnik. Być może jesteś Czytelniczką mojego bloga, a może zobaczyłaś książkę na półce w księgarni i postanowiłaś ją kupić, zaintrygowana tytułem. Możliwe też, że słyszałaś gdzieś o minimalizmie i zdecydowałaś się przekonać na własnej skórze, o co w tym wszystkim chodzi. Jakkolwiek by było, jesteś tu ze mną, ponieważ poczułaś potrzebę zmiany, a każda zmiana, nawet ta najbardziej upragniona i potrzebna, sprawia, że musisz opuścić na chwilę swoją strefę komfortu. Naturalne jest, że budzi to Twój lęk.

Jedna z Czytelniczek zadała mi kiedyś w blogowej ankiecie serię intrygujących pytań: „Jak upraszczać, unikając poczucia winy i wrażenia bezsensowności naszych poczynań? Jak nie czuć się dziwakiem? Jak uporać się z brakiem akceptacji dla naszych nieszablonowych działań? Czy wypada chcieć mniej?".

AKCEPTACJA

Poczucie winy pojawia się, gdy nasze zachowanie narusza jakieś normy społeczne. Mogą to być przepisy powszechnie obowiązującego prawa, jak również zasady moralne. Żyjemy w skomplikowanej sieci wzajemnych powiązań i zależności, w której każdorazowe wyjście poza akceptowany schemat może budzić lęk, ale też wywoływać poczucie winy u osoby, która tę granicę przekracza. Ponieważ zewnętrznymi przejawami respektowania istniejących układów społecznych są głównie rzeczy, którymi się otaczamy, to kiedy ograniczymy liczbę posiadanych przedmiotów, będzie to wyraźny znak dla pozostałych członków społeczności, że coś jest nie w porządku.

Pamiętasz, co pisałam o symbolach dobrobytu? Każda grupa społeczna ma swoje dość wyraźne materialne wyznaczniki statusu, których pozbycie się może nawet spowodować wyrzucenie Cię poza jej nawias. Wiem, że brzmi to dość abstrakcyjnie, pozwól więc, że przejdę do konkretnych przykładów opinii, które możesz usłyszeć, i określenia kontekstów, w których mogłyby one paść.

„Nie nosisz koszulek marki X? Przecież to najlepsze koszulki na świecie. Wszyscy w biurze je mają" – nie stać Cię na ubrania znanego producenta lub nie chcesz wydawać dużej sumy pieniędzy tylko ze względu na logo.

„Czemu wyrzucasz tę sukienkę? Przecież jest ładna i niezniszczona" – o sukience w kwiatki, która pamięta czasy sprzed pierwszej ciąży.

„Chyba Ci się w głowie poprzewracało, tyle dobrych rzeczy obcym ludziom dać za darmo" – reakcja na próbę pozbycia się nieużywanych od wielu lat kuchennych gadżetów, które kupiłaś w nadziei stania się drugą Nigellą Lawson.

„Nie wypada sprzedawać ubrań. Ludzie jeszcze pomyślą, że nie masz na życie" – pełno nieużywanych, ale nadal porządnie wyglądających ubrań zalega w Twojej szafie.

„Może już czas na nowy samochód? Tyle lat jeździmy tym złomem. Zobacz, Tomek właśnie wziął kredyt i jakoś dają radę" – masz sprawne, choć nie najnowsze auto.

„Minimalizm? Jaki minimalizm? Naczytałaś się głupot w internecie. Przestań błaznować. W markecie jest super przecena mikserów, widziałaś?" – na temat Twoich prób uporządkowania życia i przestrzeni.

Takich pytań znam setki, mogłabym tylko nimi zapełnić całą tę książkę. Każdy z nas w różnym stopniu może być narażony na podobne komentarze i nieprzyjemne sytuacje, gdy tylko zacznie pozbywać się rzeczy. Jeśli jesteś już w trakcie procesu minimalizowania, zapewne niejeden raz słyszałaś tego rodzaju uwagi, najczęściej z ust najbliższych. Wiem, że mogą być one demotywujące, a czasami nawet sprawiają przykrość i mają niewiarygodną moc wzbudzania poczucia winy.

Być może oczekujesz teraz ode mnie podania idealnego sposobu na wyjście z tej trudnej sytuacji, ale mam dla Ciebie tylko jedną radę, którą powtarzam od pierwszego rozdziału tego poradnika. *Jeśli tylko będziesz miała głęboką świadomość celu, do którego dążysz, niestraszne będą Ci te wszystkie komentarze i znajdziesz w sobie siłę, żeby doprowadzić proces upraszczania do pożądanego etapu.* Po raz kolejny odwołam się do powodu, który być może wpisałaś do tabelki na samym początku lektury. Przypominaj sobie o nim za każdym razem, gdy stracisz wiarę w sens swoich działań lub gdy ktoś będzie próbował odwieść Cię od Twojego celu, wpędzić w poczucie winy i odstraszyć od realizacji marzeń. Nie ma lepszej i skuteczniejszej metody. Po prostu rób swoje.

W WIĘZIENIU OPINII

„W całości zależni jesteśmy od cudzych sądów i to wydaje nam się największym dobrem, co cieszy się pochwałą i popytem pospólstwa, nie to bynajmniej, co rzeczywiście zasługuje na pochwałę i popyt" – napisał rzymski filozof Seneka[19].

---

19 Lucjusz Anneusz Seneka, *O bezczynności*, [w:] tenże, *Pisma filozoficzne*, t. I, tłum. i red. Leon Joachimowicz, Wydawnictwo Pax, Warszawa 1965.

Poczucie winy jest również bezpośrednio powiązane z uzależnieniem od ocen innych ludzi. Wiem, że łatwo powiedzieć: „Nie przejmuj się tym, co ktoś mówi". Trudniej jednak wprowadzić tę radę w życie. W trakcie wielu rozmów i wymian maili z moimi Czytelniczkami zastanawiałam się, co sprawia, że tak trudno jest się nam uwolnić od ciężaru cudzych opinii. Dopiero historia Toli pozwoliła mi to zrozumieć.

Z Tolą poznałyśmy się za pośrednictwem mojego bloga. Spośród dziesiątek historii jej opowieść dotknęła mnie szczególnie. Tola ma naprawdę na imię Antonina i mieszka na dalekiej Syberii, w małej wsi oddalonej o 250 kilometrów od Irkucka. Pochodzi z równie małej wsi pod Białymstokiem. Oto, co napisała o swoim zwariowanym życiu.

„Co wiąże minimalizm z moją historią? Właściwie wszystko. Pewnego dnia w moim życiu przyszedł taki moment, że przestałam wstydzić się tego, że jestem biedna i muszę ograniczać zakupy, w tym także kupowanie ubrań. Dużo, dużo później z niemałym zaskoczeniem odkryłam, że to, czego się wstydziłam, jest międzynarodową modą na minimalizm czy *slow fashion*.

Wieś, w której się wychowałam, słynęła z krawiectwa. U mnie w domu wszystko szyło się samemu. Co dziwi dziś wiele osób z zewnątrz, u nas szyli też mężczyźni. Mam trzech starszych braci. W moich wspomnieniach jest wiele obrazków, gdy siedzą z mamą w pokoju i wspólnie szyją do późna w nocy.

Na studia do Warszawy pojechałam z jedną wyjściową garsonką, którą uszyła mi mama, i dwoma kompletami na co dzień (sukienka bezrękawnik, spodnie, dwie bluzki i kardigan). To musiało wystarczyć na całe półrocze akademickie. Wszystko zmieściło się do pięknej skórzanej walizki, którą przed wyjazdem podarował mi dziadek. Już po miesiącu śmiano się ze mnie, że mam tej odzieży tak mało. Starałam się jak mogłam, by to

ukryć – wiązałam apaszki, pożyczałam od współlokatorek z aka-
demika biżuterię (ja nie miałam żadnej biżuterii), czesałam różne fryzury. Jednak ten kpiący śmiech ciągnął się za mną przez
całe studia. Dopiero wtedy zaczęłam mieć kompleksy (ja, która
nigdy ich nie miałam). Nie zmieniłam jednak sposobu ubierania
się ani liczby ubrań (z tego, co pamiętam, pierwsze ubranie nabyłam w Warszawie wiele lat po studiach). Działo się tak z pro-
stej przyczyny – po prostu nie miałam pieniędzy. Ta niemiła konieczność dla mnie, a dla innych konsekwencja postępowania
sprawiły, że znalazła się mała grupa koleżanek, które polubiły tę
moją «inność» i zaakceptowały mnie taką, jaką jestem.

Po ukończeniu studiów wróciłam do domu. W tym czasie pomagałam finansowo rodzicom, szyjąc na zamówienie ubrania
dla znajomych, których poznałam w Warszawie. Po paru latach
rozrosło się to do takich rozmiarów, że założyłam działalność go-
spodarczą i zatrudniłam pomocnicę. Co ciekawe, zamówienia zaczęły spływać także od tych osób, które kiedyś śmiały się z mojego ubioru. «Wolę mieć jedną porządną rzecz niż pięć lichych,
które rozpadną się po pierwszym praniu» – oświadczyła na Facebooku jedna z moich koleżanek z roku i wyrocznia mody, która
jednak w czasie studiów gustowała głównie w dość lichej garderobie. Zauważyłam, jak to wszystko zaczyna się zmieniać, ale
wtedy nie umiałam jeszcze tego nazwać.

Wstydzimy się być odmienni. Wstydzimy się, gdy
nie mamy rzeczy, które mają inni.

Nie wiedziałam, że panowała już moda na *less is more*. Zresztą parę miesięcy później dostałam maila od byłego wykładowcy,

że we wsi pod Irkuckiem na Syberii jest potrzebny nauczyciel języka polskiego dla dzieci zamieszkującej tam Polonii. Decyzję o wyjeździe podjęłam chyba w ciągu jednej doby. Ubóstwo, którego w tym czasie w ogóle przestałam się już wstydzić, spowodowało, że i w tę podróż musiałam wyjechać jedynie z bagażem podręcznym, na który składały się w większości tylko praktyczne, ciepłe rzeczy.

Na Syberii kobieta i mężczyzna muszą być tak samo silni. Tu nigdy nie mówi się o równouprawnieniu, bo przyroda już setki lat temu to równouprawnienie wymusiła. Jednak tutejsze kobiety są kobiece, piękne i naprawdę potrafią się ubrać (lepiej niż niejedna warszawianka). Z babki na matkę, a z matki na córkę jest przekazywana umiejętność szycia i pięknego ubierania się przy minimum środków, ale jednoczesnej dbałości o rzemiosło. Dokładnie tak, jak uczono mnie w domu, z czego jestem dziś dumna".

Opowieść Toli uświadomiła mi, że bardzo często za naszą niechęcią do zmian stoi zwykły, ludzki wstyd. Wstydzimy się być odmienni. Wstydzimy się, gdy nie mamy rzeczy, które mają inni, niezależnie od powodu, dla którego tych rzeczy się wyrzekamy. Strach przed ośmieszeniem i byciem ocenionym bywa czasem tak silny, że rezygnujemy z upragnionej zmiany. To dużo większy i bardziej powszechny problem, również w kontekście minimalizmu, niż można by przypuszczać.

W odniesieniu do posiadania i nieposiadania wstyd może pojawić się z wielu powodów: zarówno gdy nie stać nas na to, co mają inni, jak i wtedy, gdy z uwagi na potrzebę upraszczania tego czegoś nie chcemy. Wynika to z faktu, że wykorzystujemy przedmioty, by stworzyć idealny wizerunek siebie – osoby, która jest *kimś* dzięki swoim osiągnięciom i zdolnościom, ale też *ma,* czyli otacza się właściwymi rzeczami, które sprawiają, że prezentuje się w odpowiedni sposób. Ten wyidealizowany obraz każdy z nas nosi w głowie, ja również. A Ty?

W tym kontekście rzeczy mają symboliczną, niemal magiczną moc. Posiadany przedmiot powoduje, że jego właściciel może czuć się inną – z reguły lepszą – osobą. Jak pisze Małgorzata Górnik-Durose: „Jedynym powodem, dla którego ludzie chcą posiadać pewne rzeczy, jest chęć poszerzenia własnego Ja. [...] Posiadanie i bycie nie są tożsame, lecz są nierozłączne. Ludzie poszukują, wyrażają, potwierdzają i wzmacniają swój sens istnienia poprzez to, co posiadają"[20]. Każdy cios zadany w ten stan posiadania będzie uderzał we wspomniany wizerunek. Sprawi to, że odczuwamy strach przed byciem gorszym od tych, którzy mają, gdy my mieć nie chcemy. *Czy naprawdę uwierzyliśmy, że piękne przedmioty czynią nas urodziwszymi, lepszymi i bardziej wartościowymi ludźmi?*

KONTROLA

Aby uniknąć ośmieszenia, stale się pilnujemy. Nasze dobre samopoczucie płynie również z pewności, że dzięki rzeczom doskonale panujemy nad rzeczywistością. Posiadanie określonych przedmiotów daje nam również wrażenie pełnej kontroli nad naszym wizerunkiem. W ten sposób tworzy się sieć zależności.

Powody i sposoby panowania nad otaczającym nas światem za pomocą rzeczy zmieniają się w trakcie naszego życia. Ewoluują wraz z wiekiem, ale też wraz ze zmianą roli, jaką odgrywamy w społeczeństwie. Spróbuj popatrzeć na starsze osoby w Twojej

---

20 Małgorzata Górnik-Durose, *Psychologiczne aspekty posiadania – między instrumentalnością a społeczną użytecznością dóbr materialnych*, Wydawnictwo Uniwersytetu Śląskiego, Katowice 2002.

rodzinie – na rodziców, dziadków, pradziadków – bez oceniania, czysto analitycznie. Czy nie przejawiają oni nadmiernej skłonności do gromadzenia przedmiotów, nawet tych drobnych, o niewielkiej wartości? Reklamówek, gazetek promocyjnych, opakowań?

*Czy naprawdę uwierzyliśmy, że piękne
przedmioty czynią nas urodziwszymi, lepszymi,
bardziej wartościowymi ludźmi?*

Zastanów się, czy zawsze tak było, czy może nasiliło się to, kiedy przeszli na emeryturę. „Gdy ludzie się starzeją, zaczynają tracić swoje zwykłe wyznaczniki tożsamości [zawód, krąg towarzyski, sprawność fizyczna – przyp. aut.]. [...] W takiej sytuacji rośnie znaczenie przedmiotów, które stanowią świadectwo tego, kim dana osoba była w przeszłości i co w życiu osiągnęła. Spojrzenie w przyszłość i tworzenie coraz to innego obrazu samego siebie zostało zastąpione spoglądaniem wstecz. Przedmioty materialne nie są po prostu świadkami wspomnień, pomagającymi te wspomnienia utrzymać, często stanowią one formy nadające kształt wspomnieniom [...]. Dla starszych osób przedmioty pełnią jeszcze dodatkową funkcję. [...] «Nie wszystek umrę» – zdają się mówić ludzie, którzy za życia budują sobie imponujące grobowce i piszą testamenty, obdzielając bliskich własnymi przedmiotami. Jest to pewien sposób przenoszenia swojej tożsamości poza grób"[21]. Małgorzata Górnik-Durose pisze tu o wyraźnej próbie kontrolowania poprzez rzeczy tego, co będzie (a na co nie mamy wpływu).

21 Tamże.

Jest to powszechnie znany mechanizm, towarzyszący społeczeństwom od lat, i co do zasady nie uważam go za coś złego. *Problemem jest, gdy tak usilnie pragniemy kontroli, że mylimy ją z uzależnieniem od posiadania.* Zupełnie zaciera się wtedy granica pomiędzy potrzebą i zachcianką, a potrzebę zaspokajamy w nieodpowiedni sposób. Dokładnie w tym momencie pojawiają się także kłopoty z kompulsywnymi i kompensacyjnymi zakupami (opisywanymi przeze mnie w rozdziale *Pieniądze*). Kiedy przeniesiesz swoje poczucie wartości w całości na zewnątrz siebie i umieścisz je w otaczających Cię przedmiotach lub atrybutach dobrobytu, ich utrata, bez względu na powód, sprawi, że stracisz jakiekolwiek poczucie kontroli. A obawa przed tym będzie Cię bardzo skutecznie powstrzymywała przed pozbyciem się zbędnych, zalegających w Twoim otoczeniu rzeczy. Ten sam lęk popchnie Cię do dalszego nabywania dóbr. Wszystko, aby zachować pozory kontrolowania życia. Jeśli dołożysz do tego toksyczne przekonania zbierane przez lata, to okaże się, że w taką pułapkę bardzo łatwo wpaść niezauważenie, a niezwykle trudno się z niej wydostać. Wiem o tym doskonale.

Od kiedy pamiętam, wpajano mi miłość do książek. Uczono mnie, że czytanie wzbogaca, czyni mądrym i lepszym człowiekiem. Jako dziecko chowałam się pod kołdrą i pochłaniałam kolejne lektury. Czytałam dużo i szybko, a na przestrzeni lat zgromadziłam naprawdę pokaźną kolekcję książek. Jak wiesz, od tego księgozbioru zaczęła się moja przygoda z minimalizmem, ale był to również jeden z trudniejszych momentów tej wędrówki.

Wiem, że z problemem nadmiaru książek boryka się wiele osób. To skutek licznych przekonań, których echo słyszałaś zapewne choć raz w życiu: „Dom bez książek to nie jest prawdziwy dom", „Smutne jest życie bez książek" czy „Pokaż mi, jakie książki masz w domu, a powiem ci, kim jesteś". Zaskakujące i odrobinę niedorzeczne jest to, jak wiele osób utożsamia mądrość z posiadaniem książek. Choć trudno mi było się do tego przyznać, też tak robiłam. Wchodząc do mieszkania znajomych, z ciekawością zerkałam na półkę z książkami. Jej zawartość była dla mnie podświadomym sygnałem na temat ich wartości jako ludzi. Oceniałam, nomen omen, po okładce. Im ktoś miał więcej ciekawych pozycji, tym częściej był przeze mnie traktowany jako ktoś mądrzejszy, inteligentniejszy i bardziej wartościowy. A ponieważ sama za taką właśnie osobę bardzo chciałam uchodzić, trzymanie w domu dużej liczby książek było dla mnie zupełnie naturalne, wręcz obowiązkowe.

Żeby zaspokoić potrzebę bycia docenionym,
nie potrzebuję przedmiotów.

Właśnie z powodu tego przekonania tak trudno było mi się pożegnać z książkami. Wiedziałam, że bardzo potrzebuję tej zmiany. Nie chciałam trzymać już wszystkich tych pozycji, które były mało wartościowe lub co do których wiedziałam, że już nigdy do nich nie zajrzę. Mimo wszystko pozbycie się księgozbioru uderzało w mój wyimaginowany wizerunek osoby oczytanej, a więc i mądrej. Podświadomie czułam strach przed tym, że ktoś przyjdzie do mnie do domu, zobaczy, że nie mam zbyt wielu książek, i oceni mnie tak, jak ja kiedyś oceniałam innych. Bałam się, że ktoś uderzy w obraz, którego bezwiednie bardzo mocno strzegłam, stracę nad nim kontrolę i ośmieszę się. Dopiero uświadomienie sobie, gdzie w istocie ulokowałam opinię na własny temat, pozwoliło mi się z tym lękiem uporać raz na zawsze. Czytanie nadal jest dla mnie niezwykle ważne, ogromnie wzbogaca mnie jako człowieka, ale o mojej mądrości nie decyduje już fakt posiadania dużej biblioteki. Żeby zaspokoić potrzebę bycia docenionym, nie potrzebuję przedmiotów.

POTRZEBY

Wielokrotnie odwoływałam się do roli przedmiotów w procesie zaspokajania potrzeb i chciałabym teraz rozwinąć ten wątek. Zwiększenie stanu posiadania coraz częściej uzasadniamy koniecznością realizowania określonych potrzeb. Skłonność do stałego wzrostu ich liczby to naturalna właściwość rozwiniętych ekonomicznie społeczeństw. Kiedy napisałam na blogu tekst o świadomym redukowaniu potrzeb i wygaszaniu pragnień, wzbudził on sporo kontrowersji, a nawet wywołał głosy sprzeciwu. O ile ograniczenie zachcianek nie budzi wątpliwości, to już zredukowanie potrzeb – na przykład szczęśliwego i komfortowego życia, bezpieczeństwa, kochania i bycia kochanym oraz bycia szanowanym i ważnym – jest niewątpliwie kwestią sporną i często spotyka się z brakiem akceptacji. Bo jak można nie chcieć kochać, być poważanym i nie pragnąć wygody w życiu?

Lubimy czuć się komfortowo zarówno w sensie fizycznym, jak i emocjonalnym. Komfort w życiu dla każdego z nas będzie oznaczał coś zgoła innego, ale prawie zawsze będzie powiązany z posiadaniem przedmiotów. Zaspokajanie każdej z potrzeb właściwych człowiekowi wymaga nabywania dóbr, począwszy od potrzeb czysto fizjologicznych (jedzenie, picie, schronienie, prokreacja) i podstawowych (potrzeba bezpieczeństwa) aż do tych wyższego rzędu, jak potrzeba przynależności, szacunku czy samorealizacji. Co za tym idzie, pozbywanie się przedmiotów, niezależnie od powodów, dla których to robimy, niespodziewanie wyrzuca nas poza granice własnej strefy komfortu. Zdarza się, że prosta czynność – pozbycie się kilku rzeczy – rozbudzi w Tobie charakterystyczny lęk. Ten strach może być również wynikiem obawy o niezaspokojenie ważnych potrzeb.

Problem jednak nie leży w tym, że multiplikujemy swoje pragnienia, ale w tym, że w niewłaściwy sposób próbujemy je zaspokoić.

Problem jednak nie leży w tym, że multiplikujesz swoje potrzeby, ale w tym, że w niewłaściwy sposób próbujesz je zaspokoić. Bezpośrednim, nieuniknionym sposobem realizowania potrzeb stało się nabywanie dóbr materialnych (samochód, ubrania, meble, gadżety) i niematerialnych (podróże, wiedza, informacja). Współczesna łatwość kupowania sprawia, że przestaliśmy nawet szukać możliwości spełnienia danej potrzeby w inny, często bardziej wymagający sposób. Ktoś, kto nie potrafi powiedzieć „kocham", będzie szukał zaspokojenia potrzeby bycia kochanym gdzie indziej, na przykład kupi dużo drogich ubrań, żeby się podobać, a tym samym pozyskać miłość. Będzie to również konsekwencja zakorzenionego już przekonania, że tylko atrakcyjny człowiek jest godny miłości. Wydawać by się mogło, że na przykład realizowanie potrzeb przynależności i miłości powinno się odbywać bez materialnego wsparcia, ale tak nie jest. Czy zaręczyny byłyby takie same bez pierścionka bądź bukietu kwiatów? A ślub bez obrączek? Zaspokajanie potrzeb szacunku i prestiżu to już niemal oczywisty przykład tego, w jaki sposób wykorzystujemy niemal wyłącznie dobra materialne (dom, samochód, markowe ubrania, przeszklony gabinet na najwyższym piętrze biurowca).

Potrzeba bezpieczeństwa, najważniejsza (zaraz po czysto fizjologicznych) potrzeba człowieka, daje o sobie znać w różnych sytuacjach i aspektach życia, tym samym jest zaspokajana na wiele sposobów. Może mieć wymiar fizyczny, ale też psychiczny. Może polegać na konieczności zapewnienia sobie fizycznego bezpieczeństwa i wolności od trosk materialnych, ale może też dotyczyć potrzeby stabilności, sprawiedliwości lub wyeliminowania wszelkich zagrożeń. Siłą rzeczy zaspokojenie tej potrzeby będzie miało również swój czysto materialny przejaw, jak chęć posiadania domu chroniącego zarówno przed żywiołami, jak i napastnikami.

Skoro budujemy swoje poczucie bezpieczeństwa, uzależniając je w dużej mierze od przedmiotów, naturalne będzie, że gdy zostaniemy ich pozbawieni, potrzeba bezpieczeństwa pozostanie wyraźnie niezaspokojona. Możemy stracić nasz dobytek w wyniku różnych sytuacji: kradzieży lub klęski żywiołowej (albo po prostu zgubić jakąś rzecz), ale możemy też chcieć się go pozbyć. Niezależnie od przyczyny emocjonalna reakcja sprzeciwu bywa bardzo podobna. Po czym ją poznać? Choćby po tłumaczeniach typu: „Nie noszę już tej kurtki, ale nie oddam jej, bo może się jeszcze przyda". Im częściej myślisz o czymś, że może się jeszcze przyda, tym bardziej posiadanie przedmiotów jest u Ciebie skorelowane z poczuciem bezpieczeństwa.

W dużej mierze jest za to odpowiedzialny naturalny instynkt człowieka. Po części jesteśmy gatunkiem zbieraczy – w toku ewolucji zbieractwo zapewniało nam byt i bezpieczeństwo. Ale nie oszukuj się, nie żyjesz w czasach pierwotnych. Dawno już przekroczyłaś próg posiadania, który zapewnia minimum przetrwania.

I nie chodzi mi wcale o to, żebyś teraz do tego minimum za wszelką cenę dążyła, ale nie traktuj też potrzeby bezpieczeństwa (w powiązaniu z przedmiotami) jak uniwersalnej wymówki dla gromadzenia ponad wszelką miarę. Pięć par nienoszonych jeansów i szuflady wypełnione szpargałami nie zapewnią Ci przewagi w walce o przetrwanie. To tylko pozory bezpieczeństwa.

POTRZEBY A PRAGNIENIA

Współcześnie w o wiele większym stopniu niż kiedykolwiek wcześniej utożsamiamy realizowanie potrzeb wyższego rzędu z nabywaniem i posiadaniem.

Przykładowo, aby zaspokoić potrzebę przynależności, musimy koniecznie używać najnowszego modelu telefonu lub chodzić do modnej restauracji; potrzebę szacunku i uznania – posiadać dom z ogrodem w najlepszej części miasta; potrzebę samorealizacji – uzyskać dyplom prestiżowej uczelni.

Co więcej, motywację do zaspokojenia potrzeb wyższego rzędu cechuje tak zwane prawo wzmocnienia: realizując te potrzeby, odczuwasz przyjemność, dlatego też stale będziesz dążyła do jeszcze lepszego ich zaspokojenia. Ten mechanizm jest bezlitośnie wykorzystywany w marketingu i handlu na wiele różnych sposobów. Zanim się zorientujesz, coś, co przed chwilą było wymarzonym luksusem, staje się minimum Twoich wymagań. Nie wierzysz? To wyobraź sobie na przykład samochód z klimatyzacją – wystarczy, że raz zakosztujesz tego udogodnienia, a uznasz je za oczywistą konieczność. Jak więc rozpoznać, czy to, co czujesz, jest rzeczywistą potrzebą?

Zadałam to pytanie także moim Czytelniczkom, oto przykładowe odpowiedzi.

Aleksandra: „Staram się spojrzeć obiektywnie na swoją sytuację pod kątem potrzeb i zastanowić się, do czego coś mi jest potrzebne. Jeśli ma mi to polepszyć samopoczucie, pocieszyć mnie lub zaspokoić chęć posiadania, to jest to zachcianka. Jeśli jednak przedmiot ma służyć do wypełniania praktycznych zadań, których nie jestem w stanie zrealizować za pomocą innych rzeczy, lub dotyczy obszaru, w którym istnieją braki utrudniające codzienne funkcjonowanie, to jest to potrzeba".

Agnieszka: „Z ewidentną zachcianką mamy do czynienia wtedy, kiedy podstawową potrzebą jest pójście na zakupy, a nie konieczność nabycia nowej rzeczy, a także wtedy, gdy zakup ma być formą rekompensaty za coś: za kiepski dzień w pracy, za kłótnię z facetem lub za pracowity i stresujący okres w pracy (bo np. robiliśmy jakiś bardzo ważny projekt i należy nam się nagroda za te zarwane wieczory). A potrzeba? Kiedy po kilku sezonach rozpadły się nam jeansy, a to ważna część naszej garderoby i po prostu trzeba je wymienić na nowe, nawet jeśli wcale nie chce się nam iść do sklepu, przymierzać itp. I najchętniej by się zamówiło po prostu takie same, z dostawą do domu".

Wróćmy do sposobów realizowania pragnień. To naturalne, że nasze potrzeby, na przykład bycia kochaną, przynależności, szacunku i samorealizacji, będą się domagać zaspokojenia, ale czy zakupy to zawsze dobre rozwiązanie? Jak pisze Małgorzata Górnik-Durose: „Problem zaczyna się wtedy, kiedy forma zaspokajania potrzeb dominuje nad ich treścią, czyli np. ochrona przed chłodem bądź akceptacja społeczna wymaga odzienia z metką aktualnie modnego i bardzo drogiego projektanta. Mamy wtedy do czynienia z potrzebami otoczkowymi albo potrzebami pozornymi"[22], potocznie nazywanymi zachciankami lub pragnienia-

22 Tamże.

mi. Trudność tkwi więc w zachowaniu odpowiednich proporcji pomiędzy formą realizacji pragnień a ich treścią. Wiem, że zawarte tu rozważania nie sprawią, że omawiany problem rozwiąże się samoistnie, ale nazwanie go to już połowa sukcesu.

Bywa jednak, że nawet poznanie tych wszystkich mechanizmów kierujących naszym postępowaniem nie ułatwia nam wypuszczenia z rąk zbędnych przedmiotów, które zalegają w naszym otoczeniu. Nie pomaga także w unikaniu nałogowego kupowania. Więc może powód takiego zachowania leży jeszcze głębiej? Może poprzez gromadzenie rzeczy usilnie próbujemy odnaleźć szczęście?

Niestety, teza ta już dawno została obalona. Wszelkie badania dotyczące psychologicznych aspektów posiadania jednoznacznie wskazują, że gromadzenie przedmiotów ponad rzeczywiste potrzeby nie powoduje wzrostu zadowolenia i nie przynosi poczucia dobrobytu.

Gromadzenie przedmiotów ponad rzeczywiste potrzeby nie powoduje wzrostu zadowolenia i poczucia dobrobytu.

Wbrew temu przyjęło się przekonanie, że rzeczy budzą radość i zadowolenie. Jest to nam nieustannie wpajane, do tego tak usilnie, że przestaliśmy nawet próbować obalić tę tezę. Ja jednak się z tym nie zgadzam. Uważam, że zakupy przynoszą poczucie szczęścia tylko na moment, przedmioty zaś coraz częściej wywołują w nas frustrację, niezadowolenie i złość, choć w pierwszej chwili nie kojarzymy tych emocji z posiadanymi rzeczami. W każdej przeprowadzce stresuje nas nie tylko zmiana miejsca zamieszkania, lecz także konieczność zorganizowania przewozu zgromadzonych rzeczy, co często bywa ogromnym przedsięwzięciem. Upragnione wakacje zaczynamy od nerwowego dopychania kolanem pokrywy walizki, a poranek – od odmawianej przed szafą litanii, rozpoczynającej się od słów: „Nie mam się w co ubrać...". Magazynowanie przedmiotów miewa czasami doprawdy niezwykłe konsekwencje.

W moim miejscu pracy jakiś czas temu pękła rura, a ponieważ znajdowała się pod budynkiem, naprawa wymagała rozkopania całego podjazdu i zrobienia sporej dziury w podłodze. Cóż, siła wyższa. Nie mogłam zaparkować przed biurem, zostawiłam więc auto uliczkę dalej, oczywiście w przeznaczonym do tego miejscu. Wieczorem idę do samochodu, wyjmuję kluczyki i... okazuje się, że nie mogę odjechać. Pojazdy z przodu i z tyłu stoją tak blisko, że musiałabym wyjechać na sposób paryski, czyli obijając wszystkie zderzaki. Stoję bezradnie i dzwonię po MM, może on sobie z tym poradzi. Nic z tego. Po chwili w domu, przy którym zostawiłam auto, zapalają się światła, wybiega właściciel posesji i krzyczy. Wydziera się, że to skandal, że ktoś zaparkował przy jego domu i zajął mu miejsce. Wyrzuca z siebie wszystkie swoje żale, ale nie to przyciąga moją uwagę. Słyszę wyraźnie, jak wywrzaskuje, że on ma przecież cały garaż zajęty i musi parkować na ulicy, a tu ciągle ktoś sobie bezczelnie staje i zajmuje mu miejsce. Wtem zrozumiałam. Winna nie jestem ani ja, ani on. Sprawcą całego zamieszania jest przepełniony rzeczami garaż! Gdyby nie nadmiar zgromadzonych przedmiotów, samochód stanąłby w garażu i przykra sytuacja zwyczajnie by nie zaistniała. Ta historia to doskonały przykład na to, że mniej przedmiotów to mniej problemów, kłopotów i frustracji.

MINIMALIZM A SZCZĘŚCIE

Kiedy składasz komuś życzenia, czego najczęściej one dotyczą? Zdrowia, szczęścia i pomyślności, prawda? Gdybyś stanęła na ulicy i zapytała losowo napotkaną osobę, czego by najbardziej chciała w życiu, najpewniej również wskazałaby te trzy rzeczy.

Traktujemy szczęście jak skarb. Wszyscy go szukamy, jakby bycie szczęśliwym miało rozwiązać każdy nasz problem i rozterkę. Skoro wiemy, że gromadzenie rzeczy nie przynosi zadowolenia, to może spróbować pójść w innym kierunku? Czy minimalizm może się stać łatwą i szybką drogą do osiągnięcia życiowego dobrobytu?

Sonja Lyubomirsky jest profesorem psychologii na Uniwersytecie Kalifornijskim w Riverside. Odbyła studia na Uniwersytecie Harvarda oraz Uniwersytecie Stanforda. Swoją pracę naukową prawie w całości poświęciła badaniom nad szczęściem, a dokładniej nad tak zwaną psychologią pozytywną. Jest ona moją swoistą przewodniczką w zgłębianiu tej tematyki, a prawdziwość stawianych przez nią tez mogę osobiście potwierdzić. W toku badań profesor Lyubomirsky wyodrębniła dwanaście działań, które stanowią element tak zwanego programu budowania trwałego szczęścia. Każdy może wybrać sobie dowolne z nich, dobrane do jego aktualnego stylu życia, potrzeb lub osobowości:

1. Wyrażanie wdzięczności.
2. Ćwiczenie optymizmu.
3. Zwalczanie tendencji do zamartwiania się i porównywania się z innymi.
4. Ćwiczenie aktów życzliwości.
5. Zacieśnianie więzi międzyludzkich.

6. Ćwiczenie zaradności.
7. Wybaczanie.
8. Robienie tego, co naprawdę Cię wciąga.
9. Czerpanie radości z życia.
10. Realizowanie celów z zaangażowaniem.
11. Praktykowanie religii i kształtowanie duchowej strony życia.
12. Dbanie o ciało (medytacja, ćwiczenia fizyczne i przejmowanie zachowań szczęśliwych ludzi)[23].

Jak widzisz, żaden z punktów nie dotyczy ani gromadzenia przedmiotów, ani zakupów. A czy jest tu gdzieś mowa o ograniczaniu stanu posiadania? Wydaje się, że nie. Jednakże, gdy przyjrzymy się dokładniej tej liście, zauważymy, że wiele z proponowanych aktywności zazębia się z zagadnieniami poruszanymi przeze mnie właśnie w kontekście minimalizmu. Moje doświadczenia pokazują, że jednym z najważniejszych – a dla mnie także najistotniejszych – działań jest to, które wymieniono jako pierwsze. Bycie wdzięcznym.

WDZIĘCZNOŚĆ

„Wdzięczność może kojarzyć się z podziwianiem, docenianiem, dostrzeganiem dobrych stron trudnych sytuacji, pojmowaniem dostatku bądź dziękowaniem innym ludziom albo Bogu. Wdzięczność może być kojarzona z delektowaniem się, z dostrzeganiem, że to, co mamy, jest ważne, ze stawianiem czoła problemom lub byciem obecnym «tu i teraz». Wdzięczność jest

---

23 Listę działań należących do programu budowania trwałego szczęścia podaję za: Sonja Lyubomirsky, *Wybierz szczęście. Naukowe metody budowania życia, jakiego pragniesz*, tłum. Tomasz Rzychoń, MT Biznes, Warszawa 2011.

przeciwieństwem negatywnych emocji oraz neutralizatorem zawiści, chciwości, wrogości, zmartwień i irytacji. [...] Robert Emmons, najbardziej prominentny badacz i pisarz podejmujący temat wdzięczności, definiuje to pojęcie jako «cudowne uczucie, chęć dziękowania i docenianie cudu życia»"[24].

Dla mnie wdzięczność to dużo więcej niż powiedzenie „dziękuję". To sposób reagowania na rzeczywistość, choć nie zawsze najłatwiejszy i najbardziej oczywisty. I pośrednio ma również sporo wspólnego z zagadnieniem posiadania. Niezwykle bliskie jest mi stwierdzenie Oli, jednej z moich Czytelniczek, która zgodziła się podzielić swoimi doświadczeniami związanymi z redukowaniem liczby posiadanych przedmiotów. Napisała: „Mimo że mój stan posiadania drastycznie się zmniejszył, po raz pierwszy w życiu zaczęłam odczuwać prawdziwą satysfakcję z tego, co mam". Kiedy zaczęłam świadomie ograniczać swoje materialne zasoby, opisane tu uczucie bardzo mocno mnie dotknęło.

Uwielbiam piękne przedmioty, doceniam czas i wysiłek włożony w ich wykonanie, z przyjemnością oglądam je w swoim otoczeniu, jednak gdy tych rzeczy jest zbyt dużo, zwyczajnie nie mam czasu na swoistą kontemplację ich urody. Dokładnie tak samo się dzieje, kiedy odwiedzasz, przykładowo, paryski Luwr. W pierwszym momencie podziwiasz jeden za drugim kunsztowne przedmioty i zachwycasz się ich urokiem. W czwartej sali ich piękno powszednieje i zaczyna wręcz nużyć. Co więcej, z każdą kolejną godziną spędzoną w muzeum nasila się poczucie zniechęcenia. Jednak jeśli podczas wizyty ograniczysz się do oglądania wybranych eksponatów, będziesz miała i czas, i energię na docenienie i kontemplację ich urody. Świadomy wybór, którymi przedmiotami chcę się otaczać, oraz eliminacja zbędnej reszty

24   Tamże.

pozwoliły mi uświadomić sobie, że mimo wszystko posiadam przecież bardzo dużo! Mam dach na głową, jest mi ciepło, otaczam się pięknymi rzeczami, stać mnie na dobre jedzenie, lubię to, co robię, a stabilizacja finansowa pozwala mi realizować marzenia i pomagać najbliższym, jeśli tego potrzebują.

Przeprowadzenie procesu oczyszczania przestrzeni wokół siebie nie jest łatwe. Bywały naprawdę trudne momenty, przedmioty niejednokrotnie stawały się źródłem negatywnych emocji (szerzej piszę o tym w rozdziałach *Sentyment* i *Praktyka*). Zmniejszenie liczby rzeczy sprawiło, że po raz pierwszy poczułam wdzięczność za to, co już posiadam, i było to dla mnie niesamowite odkrycie. Jednocześnie skupienie się na świadomym odczuwaniu wdzięczności pozwoliło mi uporać się z trudnymi emocjami na wielu frontach, choć wtedy nie potrafiłam jeszcze tego nazwać.

Bycie wdzięcznym podnosi poziom odczuwanego szczęścia również poprzez korzystny wpływ na poczucie własnej wartości i samoocenę[25]. Podbudowana samoocena sprawia, że jesteśmy mniej skłonni szukać potwierdzenia własnej wyjątkowości i ważności w przedmiotach. Nawiążę do wcześniejszego przykładu: aby zaspokoić swoją potrzebę szacunku i uznania, nie będę musiała koniecznie posiadać domu z ogrodem w najlepszej części miasta. Wdzięczność zneutralizuje również toksyczną potrzebę porównywania się z innymi ludźmi. Jeśli jesteś naprawdę wdzięczna za wszystko, co Cię w życiu spotkało, za ludzi, którzy Cię otaczają, lub za to, kim jesteś, to zwyczajnie nie odczuwasz pokusy zaglądania do szaf i garażu sąsiada. Świadome bycie wdzięcznym utrudnia wspomniane już zjawisko hedonistycznej adaptacji – skłonność do przyzwyczajania

25   Tamże.

się do pozytywnych zmian jest największym wrogiem poczucia szczęścia i dobrobytu. Wdzięczność pozwala świadomie skierować uwagę na wszystkie dodatnie aspekty życia, również te materialne. Wypracowanie sobie umiejętności odczuwania wdzięczności naprawdę jest możliwe. Przeczytaj, proszę, historię Marceli.

„Miałam niełatwe dzieciństwo. Szybko jednak zauważyłam, że nawet posiadając mniej niż inni, można być bardziej szczęśliwym, jeżeli umie się z tego odpowiednio korzystać. Czy lubię minimalizm, bo miałam w życiu pod górkę? Być może tak, zwłaszcza że miałam okazję obserwować wielu «bogatych» pod różnym względem ludzi, którzy nie doceniali tego, co mieli. Zawsze wtedy myślałam, że nie liczy się to, co masz i ile masz, ale czy potrafisz się z tego cieszyć i jak to robisz. Sama mając mniej niż inni, świadomie ćwiczyłam postrzeganie szklanki do połowy pełnej. Zwracałam nawet uwagę na to, aby cieszyć się dłużej niż inni. Dłużej pamiętać dobre rzeczy, szybciej zapominać o złych.

Szybko też zauważyłam, że łatwo osiągnąć maksymalny poziom szczęścia lub zadowolenia, czyli moment, gdy nie można już cieszyć się bardziej, i że taki sam poziom satysfakcji można osiągnąć, zarówno idąc do kina z przyjaciółmi, jak i kupując nowy samochód. Z samochodu po prostu cieszymy się dłużej, a nad długością przeżywania emocji przecież możemy pracować. Zauważyłam też, że jeżeli kilka fajnych rzeczy zdarzy się równocześnie, to również nie cieszymy się bardziej niż wtedy, gdy wydarza się tylko jedna z nich. Dlatego lepiej kupić jedną rzecz od czasu do czasu, niż wyjść ze sklepu z wieloma zakupami naraz, bo w ten sposób marnujemy szczęście".

UWAŻNOŚĆ

Wszystkie opisywane przeze mnie zagadnienia, począwszy od pierwszego rozdziału książki, konsekwentnie łączą się w całość: świadomość wartości pieniądza, skupienie na tym, co prawdziwie ważne, pozbywanie się toksycznych przekonań i ambicji. Przełamanie wszechobecnych schematów myślenia wymaga sporej siły woli. Jednocześnie każdy z nas zdaje sobie przecież sprawę z wagi chwili, tego momentu, w którym sięgamy po filiżankę dobrej kawy, nasze dziecko uśmiecha się po raz pierwszy lub czujemy pierwsze promienie wiosennego słońca.

Jedyną drogą do szczęścia jest świadome przekierowanie uwagi z zewnątrz do wewnątrz. Zatrzymanie w biegu. Pozbycie się nadmiaru.

Zaryzykowałabym wręcz stwierdzenie, że jedyną drogą do szczęścia jest świadome przekierowanie uwagi z zewnątrz do wewnątrz. Zatrzymanie w biegu. Pozbycie się nadmiaru. Skupienie się nie jest możliwe, kiedy zbyt wiele zewnętrznych czynników rozprasza naszą uwagę.

Jak słusznie napisała wspomniana już Marcela: „Minimalizm to pozbycie się ze swojej przestrzeni tzw. rozpraszaczy, zagłuszaczy i odwracaczy uwagi. To szansa na odnalezienie i zrozumienie siebie, poznanie prawdy o swoich prawdziwych potrzebach i wartościach. To wyzwolenie pozytywnego egocentryzmu, poczucia siły i sprawczości, które sprawią, że doba będzie miała aż dwadzieścia cztery godziny, zwykłe codzienne czynności będą magiczne, mała szafa wystarczająca, aby się ubrać, a 2 tysiące kalorii, aby się nasycić".

Minimalizm jako narzędzie pozwoli Ci skutecznie ograniczyć liczbę zewnętrznych bodźców, skupić uwagę i energię na tym, co najważniejsze i najcenniejsze. I tym czymś nigdy nie będą przedmioty.

MIEĆ MNIEJ

Liczenie

„No to ile masz tych rzeczy, Panno Minimalistko?" – ileż ra-zy mierzyłam się z tym pytaniem, zadawanym z mniejszą lub większą ironią. Zamiast powoli budować napięcie i doprowa-dzić do puenty gdzieś pod koniec rozdziału, napiszę to od ra-zu: liczenie rzeczy dla samego faktu zredukowania ich liczby do (tu wstaw pożądaną wielkość) sztuk jest moim zdaniem zupeł-nie pozbawione sensu.

W powiązaniu z ideą minimalizmu najczęściej pojawia się licz-ba 100, która określa dopuszczalny limit posiadanych rzeczy. Pomysłodawcą tej koncepcji był bodajże znany orędownik mi-nimalizmu Leo Babauta[26]. Wiele osób próbuje tak zredukować swój dobytek, żeby nie przekroczyć tej magicznej granicy, a na-wet zejść znacznie poniżej niej. Nie deprecjonuję tych działań – każdy z nas jest inny i pod wpływem odmiennych impulsów czy motywacji porządkuje swoje życie. Niestety, powszechność takich zabiegów i ich swoista medialność doprowadziły do po-wstania bardzo szkodliwego stereotypu, że prawdziwym mi-nimalistą może stać się tylko i wyłącznie osoba, która posiada mniej niż sto przedmiotów. Pomijam już liczne spory na temat

---

26   Zachęcam do zajrzenia na blog Leo Babauty, dostępny pod adresem: www.zen-habits.net.

tego, czy za jedną sztukę uznawać pojedynczą skarpetkę, czy też parę... Tu naprawdę nie o to chodzi.

Podczas prób ograniczenia naszego dobytku łatwo wpaść w pułapkę. Paradoksalnie również te działania są rodzajem uzależnienia od rzeczy, tylko widzianym z innej perspektywy. Jedną z kluczowych zalet minimalizmu jest wypracowanie sobie dystansu do przedmiotów – nadanie im właściwej wagi i właściwego znaczenia. Są to „być" i „mieć" realizowane w mądry sposób. Tymczasem próba zejścia poniżej określonego limitu rzeczy sprawia, że nigdy takiego dystansu nie zdołasz osiągnąć. Nadal będziesz mocno podporządkowana czynnikowi „mieć", choć wyrażającemu się poprzez pozbywanie się, a nie gromadzenie. Wbrew pozorom od upraszczania i oczyszczania również można się uzależnić. Łatwo stracić zdrowy rozsądek i odpowiednią perspektywę. Cudownie pisze o tym Haruki Murakami: „Jeśli się spróbuje, to całkiem proste, pomyślałem. Jak człowiek chce się czegoś pozbyć, to w życiu da się pozbyć prawie wszystkiego. Nie prawie, dosłownie *wszystkiego*. A jak się zacznie pozbywać kolejnych rzeczy, nabiera się ochoty, żeby pozbyć się absolutnie wszystkiego. Tak samo jak hazardzista, który stracił połowę pieniędzy, w desperacji wyrzuca resztę"[27]. Zapraszam Cię więc do mojego świata rozsądnego upraszczania. Świata świadomych i mądrych wyborów. *Eliminuj zbędne przedmioty, dopóki będziesz odczuwała taką potrzebę, ale nie dłużej.*

---

27   Haruki Murakami, *Koty ludojady*, [w:] tenże, *Ślepa wierzba i śpiąca kobieta*, przeł. Anna Zielińska-Elliott, Wydawnictwo Muza SA, Warszawa 2008.

Jednocześnie liczenie to niezwykle potężne narzędzie, które może pomóc przy próbach oczyszczania przestrzeni wokół siebie. Zastanawiałaś się kiedykolwiek, ilu rzeczy używasz na co dzień?

Pamiętam scenę z popularnego serialu *Seks w wielkim mieście*, w której główna bohaterka Carrie potrzebuje natychmiast wykupić swoje nowojorskie mieszkanie, ale nie ma za co. Siedzi na murku przy ulicy i na głos zastanawia się, gdzie podziały się jej pieniądze. Przecież nie zarabia wcale tak mało... Przyjaciółka Miranda zadaje jej kluczowe pytanie: „Ile masz par butów?", odpowiedź brzmi: „Sto". Carrie broni się jednak, że to przecież wcale nie tak dużo. Raptem sto par butów, każde za 400 dolarów, to przecież tylko 4 tysiące dolarów... nie, zaraz... 40 tysięcy dolarów! Już rozumiesz?

Jedną z kluczowych zalet minimalizmu jest wypracowanie sobie dystansu do przedmiotów. Nadanie rzeczom właściwego ciężaru, właściwego znaczenia.

Polecam metodę liczenia w ciemno, którą sama stosuję. Najczęściej doradzam zaczęcie od bielizny, ponieważ jest to chyba ta kategoria rzeczy, którymi każdy z nas dysponuje, a wobec których zwykle tracimy rozeznanie co do posiadanej liczby. Zatem, ile masz majtek? Spróbuj policzyć je w myślach, a potem idź do szuflady i sprawdź. Aha, te w praniu również uwzględnij!

Podobny eksperyment przeprowadzałam wiele razy, również z Czytelnikami na blogu, i czego się dowiedziałam? Po pierwsze i najważniejsze, najczęściej posiadamy dużo więcej rzeczy, niż się nam wydaje. Po drugie, po weryfikacji ich liczby okazuje się, że wielu z nich nie powinnyśmy uwzględniać w swoich obliczeniach. Z dwudziestu par majtek tylko sześć faktycznie nadaje się do użycia. Reszta jest zniszczona, za mała, za duża albo niewygodna, część z nich to sztuki zapasowe lub te, których nie lubimy. Oczywiście bielizna to tylko przykład. Podobną próbę możesz przeprowadzić z butami, torebkami, talerzami, kubkami, szalikami, skarpetkami, świeczkami itp. Zajrzyj proszę do szuflady ze sztućcami i policz, ile masz widelców, łyżek i noży. Czy skompletujesz choćby sześć zestawów, których mogłabyś użyć, gdyby pojawili się zaproszeni goście? W moim rodzinnym domu do obowiązków dzieci należało między innymi rozłożenie na stole sztućców przed kolacją wigilijną. Być może dlatego tak wyraźnie pamiętam, że czasami trudno było stworzyć tych dziesięć czy dwanaście kompletów tak, żeby dla każdego wystarczyło. Pamiętam ze studenckich czasów opowieść kolegi o tym, że jego tata kolekcjonował... ketchupy! Miał ich kilkanaście rodzajów, w porywach do kilkudziesięciu. Naturalnie, gdy zaszła taka potrzeba, tego zwykłego, łagodnego nigdy nie było. To oczywiście rodzinne anegdoty, ale tego typu przykłady można wyliczać i opisywać w nieskończoność.

Pod tym względem liczenie pomaga sobie uzmysłowić, czym faktycznie dysponujemy. Po raz kolejny, i z pewnością nie ostatni, odwołuję się w tej książce do świadomości posiadania. *Nie ma nic złego w posiadaniu, byle wybór przedmiotów i ich liczba nie były przypadkowe. Dlatego też jeśli czujesz potrzebę oczyszczenia swojej przestrzeni, ale nie wiesz, od czego zacząć – licz.* Jeśli to konieczne – jak w wypadku jednej z moich Czytelniczek, której łazienka zaczęła przypominać drogerię – zrób listę konkretnych rzeczy i pogrupuj je w kategorie oraz podkategorie. W trakcie tej czynności możesz dostać lekkich zawrotów głowy, ale nie poddawaj się. Uświadom sobie, ile przedmiotów w rzeczywistości posiadasz, a potem metodycznie się z nimi rozprawiaj, pozostawiając te potrzebne i eliminując te zbyteczne.

LICZENIE CZASU

Skoro już jesteśmy przy temacie liczenia, proponuję jeszcze jedno ćwiczenie. Wykonywałam je, od kiedy zaczęłam zarabiać pieniądze, poza tym okresem, w którym pogubiłam się w amoku kupowania – jednak nawet wtedy stało się ono jednym z narzędzi, dzięki którym wróciłam na ścieżkę właściwego zarządzania swoimi finansami i porzuciłam nałóg robienia zbędnych zakupów.

Jest to ćwiczenie genialne w swojej prostocie. Polega na przeliczaniu rzeczy na pieniądze, a pieniędzy na czas. Pamiętasz, gdy pisałam o problemie kompulsywnych zakupów? O tym, że raczej nie objawia się on w postaci wykupienia całego asortymentu sklepu za jednym razem, a prędzej jest cichym wrogiem, który atakuje często, ale pozornie nie czyni dużych szkód? Policzmy więc, ile mogą kosztować przykładowe kompulsywne zakupy z jednego tygodnia:

poniedziałek: kredka do oczu – 20 złotych,

wtorek: książka – 30 złotych,

środa: kolorowa gazeta – 10 złotych,

czwartek: bluzka z wyprzedaży – 20 złotych,

piątek: balsam do ciała – 25 złotych,

sobota: kawa na wynos – 10 złotych,

niedziela: świeczka zapachowa – 8 złotych.

Wydaje się, że nie wydaliśmy tak dużo, prawda? Tymczasem w sumie to aż 123 złote. A przecież to tylko drobiazgi... Żeby przeliczyć te pieniądze na czas, muszę poczynić pewne założenia w kontekście zarobków. Przeciętne wynagrodzenie w Polsce w 2015 roku wynosiło w przybliżeniu 3 tysiące złotych netto. Za każdą przepracowaną godzinę należy się więc około 19 złotych. Chwila liczenia i mamy wynik: aby zapłacić za te codzienne drobne zakupy i przyjemności, trzeba w ciągu tygodnia pracować prawie sześć i pół godziny. To niemal cały dzień pracy! Mogłabyś ten czas przeznaczyć na coś innego, bardziej wartościowego. Uświadom sobie, że są to godziny, których nie poświęciłaś swoim najbliższym ani też sobie samej. Gdy napisała do mnie Aldona, jedna z Czytelniczek bloga, wiedziałam, że muszę się z Tobą podzielić jej historią właśnie w tym momencie. Aldona ma trzydzieści cztery lata i od siedmiu lat mieszka w Belfaście.

„Moje oczyszczanie przestrzeni zaczęło się prawie dwa lata temu, kiedy postanowiliśmy z moim partnerem podjąć decyzję o kupnie własnego domu. Nigdy wcześniej nie zdawałam sobie sprawy, jak dużo rzeczy zgromadziłam. W 2008 roku zapakowałam się w jedną walizkę i bagaż podręczny w podróż do Irlandii Północnej, a przy przeprowadzce potrzebowaliśmy już dwóch osób do pomocy i auta dostawczego.

Kiedy pracowałam około pięćdziesięciu godzin tygodniowo, w upragniony dzień wolny od pracy moim ulubionym zajęciem było zwiedzanie galerii handlowych i kupowanie masowo wszystkiego, co wpadło mi w ręce. Nie zastanawiałam się, czy czegoś potrzebuję, czy nie – po prostu kupowałam, bo chciałam i było mnie na to stać. A chciałam mieć coraz więcej. Kiedy oglądałam filmy, vlogi na YouTubie i widziałam, ile dziewczyny posiadają kosmetyków i ciuchów, to to, że ja też tak gromadzę, wydawało mi się rzeczą naturalną. Następna torebka, tyle że w innym odcieniu, i pasujące do niej buty to był standard. Moja garderoba była tak kolorowa, że nic już do siebie nie pasowało. Miałam problem rano, bo przy szafie stałam piętnaście minut i mimo że ledwo się domykała, ja nadal nie miałam się w co ubrać. Najczęściej i tak nosiłam ulubione rzeczy, a reszta leżała w szafie, czasami jeszcze z metkami. Jeśli czasem przypadkiem zdawałam sobie sprawę, że czegoś nie używam, to oddawałam rodzinie lub znajomym, ale to były sporadyczne sytuacje.

Pierwszym momentem opamiętania się był dzień, kiedy powiedziałam mojemu partnerowi, że potrzebuję dodatkowej pracy, bo przy moich miesięcznych wydatkach odłożenie depozytu na mieszkanie jest niemożliwe. Michał nie mógł uwierzyć, że z moimi zarobkami mam problemy, żeby odłożyć nawet stówę miesięcznie. Wziął do ręki kartkę i po lewej stronie rozpisał mój miesięczny przychód, po prawej zaś, ile powinnam wydawać na bieżące i potrzebne rzeczy, to znaczy rachunki i jedzenie. Do tego wszystkiego doliczył mi małą kwotę na wyjścia do kina, kosmetyki i inne kobiece wydatki. Nie mogłam uwierzyć, że dam radę.

Najgorszy był pierwszy miesiąc, bo musiałam coś odłożyć, a akurat tyle rzeczy kusiło. Nie dałam rady i kupiłam nowe buty. Na początku nie przyznawałam się do cichych zakupów, ale potem stwierdziłam, że nie o pieniądze tu chodzi, ale o uczciwość partnerską. Wróciłam z pracy i jak na terapii przyznałam, że potrzebuję wsparcia. Założyłam arkusz kalkulacyjny excel i uczciwie zaczęłam notować wszystko, co kupuję. Zamiast w galeriach handlowych, zaczęłam ubierać się w second handach. Zaczęłam też pozbywać się niepotrzebnych rzeczy. Kilka z nich sprzedałam przez internet, resztę rozdałam znajomym lub oddałam do organizacji charytatywnych. Do dzisiaj tak mam, że jeśli chcę

kupić nową książkę, to najpierw staram się sprzedać kilka po-
przednich lub je wymienić. Po trzech miesiącach nie mogłam
uwierzyć, że tyle pieniędzy wyrzucałam w błoto. Po roku kupi-
liśmy mieszkanie z dziesięcioprocentowym wkładem własnym
i gotówką odłożoną na remont mieszkania.

Czasami tak mam, że jeśli korcą mnie zakupy przez internet,
to pakuję do wirtualnego koszyka, co tylko chcę, i zamiast zapłacić za zakupy, szybko wychodzę ze strony. Zazwyczaj po kilku dniach już nawet nie pamiętam, że chciałam coś kupić. Teraz
na zakupach pytam siebie, czy czegoś potrzebuję, czy chcę, bo
to znacząca różnica. Zawsze na zakupy idę z listą, żeby niepotrzebnie nie zaglądać do innych sklepów i żeby nie tracić czasu
na krążenie pomiędzy regałami. Podejrzewam, że teraz nasze
przedmioty zajmują trzykrotnie mniej miejsca, a i tak znalazła-
bym jeszcze coś, co może przydałoby się bardziej komuś innemu. Proces oczyszczania trwa nadal, ale postęp jest znaczący.

Jednak najważniejsza zmiana, która nastąpiła w moim życiu, to zmiana pracy. Przez prawie sześć lat pracowałam w sys-
temie zmianowym na więcej niż pełen etat i pomimo że praca
była dla mnie bardzo uciążliwa, to jednak nie potrafiłam z niej
odejść. Dopiero gdy mój organizm zaczął się buntować, zaczęło
do mnie docierać, że to droga donikąd. Decyzja była trudna, bo
wynagrodzenie, które otrzymywałam od sześciu lat, było całkiem niezłe, a zmiana pracy wiązała się z niższymi zarobkami.
Usiedliśmy razem, przemyśleliśmy sprawę i odeszłam z pracy.
Pracuję teraz mniej niż dotychczas i zarabiam dużo mniej, ale
nie żałuję tej decyzji. Wiem, jak ograniczyć wydatki i zaoszczędzić tam, gdzie mogę".

Naturalnie, możesz stwierdzić, że nie odnajdujesz w tej historii analogii do siebie, że podane przeze mnie wcześniej kwoty nie przystają do Twojej pensji, że przecież Ty jesteś zupełnie

inna, że zarabiasz więcej, a wydajesz mniej. Być może jest tak, jak mówisz, a być może zupełnie na odwrót. Nie ufaj mi więc w ciemno. Policz. Udowodnij, że jest inaczej, ale nie oszukuj samej siebie. Może najwyższa pora na mały rachunek sumienia?

Przedmioty pochłaniają nasz czas również w inny sposób. Trzeba je pielęgnować, czyścić, znaleźć dla nich właściwe miejsce, przenosić je i naprawiać. Te wszystkie czynności wymagają zaskakująco dużo uwagi i energii. Wyobraź sobie, że ten fragment książki pisałam w serwisie samochodowym, czekając na odbiór auta. Drobna usterka zmusiła mnie do kilku wizyt w tym miejscu, że nie wspomnę o godzinach spędzonych na rozmowach telefonicznych i wypełnianiu sterty dokumentów. Samochód to dla mnie między innymi narzędzie pracy, nie jest więc czymś zbytkownym. *Nawet potrzebne rzeczy pochłaniają ogromną ilość mojego czasu.* Zależność, która przychodzi mi na myśl, jest bardzo prosta, wręcz oczywista: im więcej trzymamy wokół siebie przedmiotów, tym więcej czasu i energii musimy im poświęcić. A ja jestem leniwa, szkoda mi dnia na zajmowanie się rzeczami. To one mają służyć mnie, a nie na odwrót. *Zmniejszenie ich liczby do niezbędnego minimum pozwala mi więc odzyskać wszystkie te stracone minuty i uniknąć niepotrzebnego wysiłku.*

NIEUŻYWANA WARTOŚĆ

Pod koniec 2012 roku instytut TNS Polska przeprowadził wśród Polaków badanie na temat nietrafionych prezentów, ich wartości oraz możliwości odsprzedaży. Wyniki tego badania dostarczyły mi również innych, intrygujących danych. Okazuje się, że przeciętny Polak ma w swoim domu nieużywane przedmioty o wartości prawie 4 tysięcy złotych! Naturalnie, to tylko statystyka. W rzeczywistości u jednego możemy znaleźć takie rzeczy warte 400 złotych, a u innego – 40 tysięcy złotych. Jak myślisz, do której grupy należysz?

Tymi niepotrzebnymi przedmiotami mogą być szpargały pochowane po pawlaczach i w piwnicach, nietrafione prezenty, zdublowane akcesoria czy kable i stare telefony. Podobno najczęściej trzymamy zbędną elektronikę – statystyczny Polak posiada w domu pięć nieużywanych gadżetów elektronicznych, takich jak telefony, laptopy, komputery stacjonarne i aparaty cyfrowe. Niemal w każdym domu można znaleźć nadwyżkowy zestaw telewizyjny! Sporo tego, prawda? Przyznam Ci się, że pisząc te słowa, nabrałam wątpliwości, czy przypadkiem sama nie wpadłam w pułapkę trzymania nieprzydatnej elektroniki, choćby w postaci starych kabli lub zepsutej myszki komputerowej. Biegnę to sprawdzić, a Ty?

CZY MOŻNA KOCHAĆ RZECZY?

Ted Mosby, bohater jednego z moich ulubionych seriali, *Jak poznałem waszą matkę,* darzy swoistym uczuciem Empire State Building w Nowym Jorku. Rozmawia z tą budowlą, zwierza się jej i tęskni za nią.

> *Rzeczy to tylko rzeczy. Mogą być piękne, mogą być użyteczne, mogą mieć moc przywoływania wspomnień, ale to nadal tylko rzeczy. Nie będą mnie kochać ani się ze mną przyjaźnić.*

Ta komediowa alegoria, podobnie jak dowcipy o mężczyznach, którzy bardziej kochają auto niż swoją kobietę, doskonale obrazuje znany mechanizm ludzkiej psychiki. Coś w tym jest, prawda? To zjawisko badał nawet zespół naukowców z Uniwersytetu w Chicago. Okazuje się, że w emocjonalnym przywiązaniu do rzeczy idziemy nawet krok dalej – im bardziej przedmiot jest zawodny (na przykład ciągle psujący się samochód), tym więcej przypisujemy mu ludzkich cech i tym częściej zaczynamy z nim rozmawiać, a wreszcie traktować go jak przyjaciela. Nie muszę chyba wspominać, co się dzieje w naszej głowie, kiedy takiego kompana trzeba sprzedać, oddać na złom albo wymienić? Za takie postrzeganie przedmiotów jest odpowiedzialna między innymi ludzka zdolność do abstrakcyjnego myślenia. Antropomorfizacja rzeczy to również jeden z bardziej charakterystycznych objawów pewnej poważnej przypadłości. Otóż w bardzo nielicznych przypadkach kolekcjonowanie przybiera dramatyczną formę i staje się ogromnym problemem. Został on zdiagnozowany lata temu i nosi nazwę syllogomanii, patologicznego zbieractwa.

Zapewne kojarzysz takie obrazki z prasy i telewizji. Pokój, mieszkanie lub garaż wypełnione rzeczami po sam sufit. Nie da się ani otworzyć okna, ani wyjść na balkon. Często towarzyszy temu niedbanie mieszkańców o (choćby podstawową) higienę. To właśnie dość typowy przykład przestrzeni, w której żyje osoba dotknięta chorobą zbieractwa. Właśnie – chorobą. Jest to bowiem zaburzenie psychiczne, którego nie wolno lekceważyć i które wymaga profesjonalnej opieki lekarza. Nieleczona syllogomania może stać się niezwykle trudnym wyzwaniem dla chorego i jego najbliższych. Nie czuję się ani trochę uprawniona do wskazywania przyczyn tego typu choroby. Chcę jedynie podkreślić, że choć droga od zwykłego chomikowania do toksycznego zbieractwa jest relatywnie daleka, to jednak u podstaw obu zachowań mogą leżeć podobne błędne założenia odnośnie do roli przedmiotów w życiu człowieka.

Minimalizm pozwala umknąć spod emocjonalnego dyktatu rzeczy, ponieważ rozbudza w nas zdrowy dystans. Zachowywanie dystansu polega na tym, że nie skupiamy się ani na usilnym ich gromadzeniu, ani też na ich unikaniu. Rzeczy to tylko rzeczy. Mogą być piękne, mogą być użyteczne, mogą mieć moc przywoływania wspomnień, ale to nadal tylko rzeczy. Nie będą mnie kochać ani się ze mną przyjaźnić. To, czy akurat są w moim życiu, czy nie, to wypadkowa wielu różnych wydarzeń i okoliczności. Dziś są, a jutro ich nie będzie. To zwyczajna kolej rzeczy, ponieważ przepływ przedmiotów w naszym życiu jest bardzo naturalnym zjawiskiem. Jedne wpadają nam w ręce, a inne je opuszczają. Kupujemy i sprzedajemy, dostajemy i oddajemy, pożyczamy od kogoś lub inni pożyczają od nas. Kłopot z nadmiarem pojawia się w chwili, gdy ten przepływ jest zaburzony, gdy w którymś miejscu, być może nieświadomie, postawiliśmy tamę.

Bardzo często do oczyszczania przestrzeni ze zbędnych przedmiotów stosuje się zasadę: „jedna rzecz przychodzi, jedna musi odejść". Kiedy potrzeba bardziej efektywnych działań, można używać jej w wersji: „jedna rzecz przychodzi, dwie muszą odejść". To bardzo prosta, często zalecana metoda. Postanowiłam o niej napisać, ponieważ faktycznie jest niezwykle skutecznym narzędziem, ale należy w jej kontekście dopowiedzieć kilka kwestii. Po pierwsze, pamiętaj, że rzeczy trafiają do nas w różny sposób. Najczęściej je kupujemy, więc mamy tendencję do pomijania tych, które zjawiają się w naszym otoczeniu w inny sposób, przykładowo gdy coś dostajemy, pożyczamy lub ktoś chce coś u nas przechować. Aby metoda, o której piszę, była skuteczna, trzeba pamiętać o takich przedmiotach. Druga istotna sprawa to bycie konsekwentnym. Gdy zdecydujesz się skorzystać z tego narzędzia, nie wystarczy, że podejmiesz decyzję, który przedmiot Cię opuści – musi on faktycznie zostać wyeliminowany: oddany, sprzedany lub wyrzucony. Musi fizycznie opuścić Twoją przestrzeń. I nie chodzi o wyniesienie go do piwnicy czy postawienie w przedpokoju. Zaniedbując ten element, sprawiasz, że stosowanie tej metody staje się pozbawione sensu.

Jeśli masz problem z konsekwentnym pozbywaniem się rzeczy, spróbuj lekko zmodyfikować opisaną tu zasadę. Uzależnij możliwość kupienia nowego przedmiotu od uprzedniego pozbycia się jednego lub dwóch. Jest to dużo trudniejsze, ale też przynosi lepsze efekty.

SKĄD MAM TYLE RZECZY?

Mimo że trzymam się metody „jedna rzecz przychodzi, dwie wychodzą" i tak co dzień widzę, jak dużo przedmiotów gromadzi się w mojej życiowej przestrzeni. Przeraża mnie ilość śmieci, które produkujemy każdego dnia. Nigdy nie mogłam tego zrozumieć. Czytelnicy pisali do mnie: „Jak to możliwe, że mamy tyle rzeczy? Skąd one się wzięły?". Pewnego dnia, po wyniesieniu kolejnej sterty zbędnych przedmiotów, olśniło mnie.

Kupiłam buty. Były mi potrzebne, żaden zbytkowny nabytek. Skoro jedna rzecz przyszła... Chwila. Czy na pewno jedna? I nie, nie chodzi o to, że buty kupujemy parami. Razem z nimi do mojego domu trafiły: pudełko na buty, paragon, reklamówka i próbka pasty do butów dorzucona przez producenta jako miły bonus. Jakby nie patrzeć, to cztery sztuki, nie jedna. Niby nic, a jednak. Reklamówka włożona do szafki zostanie tam pewnie na zawsze, a wrzucona do śmietnika powiększy ilość odpadków. Podobnie pudełko. W ramach Wyzwania Minimalistki, które organizowałam na blogu (więcej informacji pod koniec książki w części *Narzędzia*), jednym z zadań były porządki w szafkach z butami.

Po zakończeniu wyzwania, w podsumowaniu zmagań, jedna z uczestniczek napisała: „Niemożliwe. Wyrzuciłam kilkanaście pustych pudełek po butach zalegających w garderobie". Pudełko na buty, podobnie jak puste szklanki po musztardzie, reklamówki, kartoniki po kosmetykach czy próbki perfum i kremów, stanowią ten rodzaj pozornie pożytecznych przedmiotów, które najczęściej zalegają nam na półkach, „bo się kiedyś przyda...".

Bywa też, że wpadamy po uszy w ciąg kaskadowego nabywania dóbr. Jest to mechanizm do granic możliwości wykorzystywany przez marketing. Po zakupie danej rzeczy jesteśmy bombardowani kolejnymi ofertami i wręcz zmuszani do nabycia kolejnych dóbr. Jeśli sprawisz sobie smartfon, co chwilę będziesz zarzucana informacjami o niezwykle pożytecznych aplikacjach mobilnych. Jeśli masz coraz więcej ubrań, przyjdzie moment, gdy rozejrzysz się za większą szafą lub dodatkową komodą. Jeśli masz już naprawdę bardzo dużo przedmiotów, zaczniesz szukać większego mieszkania lub magazynu do ich przechowywania. *Rzeczy rodzą rzeczy.*

Bardzo często niezwykle prozaicznym powodem, dla którego gromadzimy dużo, jak się okazuje, niepotrzebnych rzeczy, jest paradoksalnie zbyt duża przestrzeń, którą dysponujemy. Kiedy ostatnio miałaś w domu zupełnie pustą półkę? Taką bez żadnego przeznaczenia, niezagospodarowaną? Na taki widok naturalne dla naszego gatunku zbieractwo ujawnia się w całej krasie. Tyle wolnego miejsca kole w oczy, prawda? Taka półka aż się prosi, żeby coś na niej położyć, postawić, żeby nie była taka goła. Nagle orientujemy się, że nie mamy już żadnej wolnej przestrzeni w domu, a i większe mieszkanie by się przydało. Kupujemy je, a tam znów... puste półki proszą się o zapełnienie.

Podobny mechanizm występuje u mnie w odniesieniu do torebek. Damskie torebki to oczywiście temat godny poważnej rozprawy psychologicznej. Moje obserwacje dotyczące mnie samej i innych są jednak dużo bardziej błahe, choć nie bez znaczenia. Wypływa z nich krótki, lecz istotny wniosek: im większa torebka, tym więcej niezbędnych przedmiotów tam upychamy. Oczywiście wyłącznie dlatego, że się mogą przydać, a jak powszechnie wiadomo, przezorny zawsze ubezpieczony. Może przy okazji warto się jeszcze ubezpieczyć od urazów kręgosłupa?

Rzeczy rodzą rzeczy.

Jakiś czas temu bardzo cierpiałam z powodu pewnego urazu. Podejrzewano u mnie zespół cieśni nadgarstka, popularne schorzenie osób dużo pracujących przy komputerze, wymagające interwencji chirurgicznej. Po prześwietleniu okazało się, że w moim nadgarstku utworzył się guzek, który powstał najprawdopodobniej z powodu... noszenia zbyt ciężkiej torby w zgięciu przedramienia. Kto by pomyślał? Skłoniło mnie to do zrewidowania tego, co noszę na co dzień w torbie. Wstyd się przyznać, co znalazłam, napiszę tylko, że w czasie remontu mieszkania zdarzało mi się mieć tam nawet młotek. Dzięki krótkiej sondzie przeprowadzonej wśród Czytelniczek bloga dowiedziałam się, że nie jestem odosobnionym przypadkiem, a miarka, śrubokręt i nożyk to najdziwniejsze z przedmiotów, które najczęściej pojawiają się w damskiej torebce. Przy okazji odkryłam, że mam skłonność do wkładania do torebki dużej liczby niepotrzebnych rzeczy tylko dlatego, że mam w niej miejsce. Jeśli świadomie decydowałam się na wyjście z mniejszą torebką, liczba przedmiotów samoistnie ulegała zmniejszeniu. Nie zdarzyło mi się, żeby czegoś mi naprawdę zabrakło, a przyglądałam się temu przez dłuższy czas.

ASERTYWNOŚĆ

Wspomniałam przed chwilą, że przedmioty trafiają w nasze ręce różnymi drogami, czasami nawet wbrew naszej woli. Jestem przekonana, że każdy z nas ma w rodzinie przynajmniej jedną osobę, która uwielbia rozdzielać swoje rzeczy pomiędzy najbliższych. Bywa, że nie są już jej potrzebne, a nie potrafi się ich pozbyć w inny sposób (czytaj: wyrzucić); mogą to być także przedmioty jak najbardziej przydatne, ale aktualnie nieużywane, na które brakuje jej jednak miejsca (narty, wózek itp.).

Drugiemu z potencjalnie problematycznych sposobów nabywania przedmiotów towarzyszą przyjemne okoliczności, które jednak stają się często zarzewiem konfliktu. Mowa o prezentach: na urodziny, święta Bożego Narodzenia, komunie lub parapetówki. Wszystkie te uroczystości bywają swoistym poligonem, na którym zderzają się siły tych, którzy lubią dawać dużo, i tych, którzy lubią mieć mało. Badanie TNS OBOP przeprowadzone wśród Polaków pod koniec 2013 roku pokazało, że niemal jedna trzecia środków przeznaczanych na bożonarodzeniowe prezenty (około 150 złotych na osobę) została zainwestowana w nietrafione upominki! Załóżmy na chwilę, że podobnie jak ja nie lubisz przypadkowych, nieprzydatnych i niechcianych podarunków (a w wersji dla zaawansowanych próbujesz uniknąć lawiny zabawek kupowanych Twojemu dziecku przez kochających dziadków, wyrażających miłość przez dawanie prezentów).

Chciałabym móc poradzić Ci po prostu, abyś w takich sytuacjach mówiła „nie", i na tym zakończyć temat. Doskonale zdaję sobie jednak sprawę, że odmowa wcale nie jest taka prosta. Zdarzają się sytuacje, gdy naprawdę trudno jest zgłosić sprzeciw, zwłaszcza kiedy nie chcesz urazić najbliższej Ci osoby.

Pozostaje nauczyć się asertywności. Nie bój się, nie będę Cię teraz uczyć tej trudnej sztuki. Mądrzejsi ode mnie napisali o niej grube księgi. Mogę Ci jednak zdradzić pewną tajemnicę oraz opowiedzieć o jednym narzędziu, których znajomość pomogła mi kiedyś wybrnąć z naprawdę trudnej sytuacji.

We wszystkich książkach i poradnikach z pewnością znajdziesz informację, że asertywność polega na mówieniu „nie" w taki sposób, by nie skrzywdzić innych. Bardzo długo nie mogłam tego zrozumieć. Metodą prób i błędów szukałam takiej formy komunikacji, która sprawiłaby, że moja odmowa nie zrani osoby, z którą rozmawiam.

Zapomniałam jednak o pewnej kwestii, której zgrabne wyjaśnienie znalazłam ostatnio w świetnej książce psycholożki Katarzyny Miller. To prawda, że „asertywność polega na wyrażaniu siebie, jednocześnie nie krzywdząc innych. To jednak nie oznacza: nie robiąc im przykrości"[28]. Cytowana już Marcela – zapytana przeze mnie, w jaki sposób radziła sobie ze swoją odmiennością wynikającą z upodobania do minimalizmu – powiedziała mi wprost:

„To było bardzo trudne pozostać sobą, bo wiązało się z samotnością. Jednak więcej siły wymagało codziennie udawanie kogoś innego, bo zarówno serce (emocje), jak i rozum (logika) mówiły jednym głosem i jasno komunikowały swoje potrzeby. Komunikowanie potrzeb to jedno, ale ich realizacja przez osoby trzecie to drugie. I tak gdy ktoś, np. mama, kupi ci coś wbrew twoim potrzebom/oczekiwaniom, to ma do tego prawo. A ty możesz takiego prezentu nie przyjąć lub przyjąć i a) zatrzymać, b) wyrzucić, c) odsprzedać, d) podarować komuś innemu. Twoim prawem jest to, co z takim prezentem zrobisz. A jeżeli twojej mamie nie

---

28 Katarzyna Miller, *Nie bój się życia*, Wydawnictwo Zwierciadło, Warszawa 2010.

odpowiada to, co robisz z takim prezentem, to może skorzystać z prawa do niekupowania tobie czegoś następnym razem".

Odmowa przyjęcia zbędnej rzeczy nie może zatem krzywdzić, ale może sprawić przykrość. Nie mam wpływu na to, w jaki sposób ktoś odbierze moje słowa. Jednocześnie akceptuję fakt, że mogę sprawić komuś zawód. Nie jest to jednak powód, dla którego zgodzę się zrezygnować z tego, co dla mnie ważne.

> *Odmowa przyjęcia zbędnej rzeczy lub brak zgody na zasypanie dziecka prezentami nie mogą skrzywdzić, ale mogą sprawić przykrość.*

Nie zawsze tak postępowałam. Gdy byłam młodym (stażem i wiekiem) prawnikiem, zdarzało się, że musiałam pracować z dużo starszymi od siebie osobami, najczęściej z mężczyznami. Radziłam sobie świetnie do pewnego momentu. Kiedy tylko ktoś podnosił na mnie głos, stawałam się całkowicie bezradna, niezdolna do reakcji, nie mówiąc już o jakiejkolwiek merytorycznej wypowiedzi. Na jednym ze szkoleń kompetencyjnych (dotyczących zupełnie czegoś innego) w akcie desperacji postanowiłam poprosić o pomoc trenera i psychologa, do którego poczułam zaufanie. Lekcja, którą wtedy odebrałam, była jedną z cenniejszych w moim życiu. Otóż poradził mi on: „Kiedy ktoś na Ciebie krzyczy, poproś, by tego nie robił. Zwyczajnie, spokojnie poproś. Bez podawania powodów, bez wymówek. Jeśli nie działa, poproś jeszcze raz". To metoda zdartej płyty, z pewnością doskonale Ci znana. Choć jest niezwykle trudna do wypracowania i wymaga praktyki, jest też zabójczo skuteczna i działa za każdym razem. Korzystam z niej do dziś. Ale, ale...

rozmawiamy przecież o minimalizmie. Puenta będzie krótka: gdy tylko ktoś próbuje Ci wmusić jakieś rzeczy, których nie chcesz brać, poproś, by tego nie robił. Gdy nie posłucha, poproś raz jeszcze, a potem jeszcze raz. I teraz ja Cię o coś poproszę: zanim z góry odrzucisz tę metodę, spróbuj kilka razy, po prostu spróbuj.

CZY MINIMALISTA MOŻE BYĆ KOLEKCJONEREM?

Dawno temu postanowiłam rozwikłać tę zagadkę i przeprowadziłam wśród Czytelniczek bloga drobny eksperyment. Zadałam im łatwe i niezobowiązujące pytanie: „Ile masz toreb i torebek?". Liczyły się wszystkie: małe i duże, te na co dzień i wyjściowe, używane częściej i rzadziej, kopertówki, koszyki biurowe i plażowe, torby leżące na wierzchu i te z czeluści szafy i pawlacza. Rekordzistką okazała się Kasia – z oszałamiającym zbiorem sześćdziesięciu trzech torebek. Zastanowiło mnie, czy wbrew pozorom Kasia może być minimalistką.

W pierwszym odruchu myśl, że minimalista mógłby cokolwiek kolekcjonować, wydaje się nieprawdopodobna. Przecież to wymaga systematycznego gromadzenia rzeczy, a istotą minimalizmu jest ograniczanie swojego dobytku. Wróćmy do Kasi i jej sześćdziesięciu trzech torebek – tę sytuację możemy postrzegać dwojako. Jeśli wykazuje ona chęć posiadania dla samego posiadania i nie może powstrzymać się przed nabyciem kolejnych torebek (na przykład podobnych do tych, które już ma, ale nowych), jeśli sama już nie wie, co znajduje się w jej kolekcji, a zakupy robi kompulsywnie, to faktycznie może być to niepokojący symptom. Tym bardziej jeśli to zachowanie przekłada się na inne sfery związane z posiadaniem (ubrania, kosmetyki, buty itp.). Jednak może być przecież zupełnie inaczej. Może Kasia jest kolekcjonerką? Może po prostu docenia piękno, wykonanie, jakość materiałów i unikalny design, więc kupuje kolejne perełki do swojej kolekcji, a przy tym traktuje je użytkowo? Wszak torebki są po to, żeby je nosić, prawda? Jeśli zbiera wyłącznie torebki, oszczędza jednocześnie w innych sferach życia i nie traktuje swojego otoczenia jak śmietnika i składowiska różnych rzeczy, to dlaczego nie miałaby nazywać siebie minimalistką?

Czy Kasia może być więc minimalistką? Moim zdaniem tak, jak najbardziej.

Dokonuj więc mądrych wyborów. Otaczaj się przedmiotami, które wywołują uśmiech na Twojej twarzy, kolekcjonuj je, jeśli chcesz, byle świadomie.

Schematy, które tu przedstawiam, są uproszczone, wiem. Doskonale zdaję sobie sprawę, że może zaistnieć bardzo dużo dodatkowych czynników i każda sytuacja będzie inna. Ja mam odwagę nazywać siebie minimalistką, choć jednocześnie jestem drobną kolekcjonerką. W mojej świadomości zupełnie się to nie wyklucza. Otóż zbieram porcelanę. Oczywiście nie mam w domu wielkiej szafy czy też kredensu wypełnionego talerzami w kwiaty. Kolekcjonuję kubki i filiżanki do kawy. Jestem szczęśliwą posiadaczką piętnastu sztuk, choć pewnie w zupełności wystarczyłyby mi dwie. Czy to oznacza, że nie mogę być minimalistką? Skądże znowu. Oczywiście, że mogę, i za nią się uważam. Wymóg jest jeden – rzeczy są stworzone po to, aby ich używać. I dotyczy to również przedmiotów, które z jakichś względów zdecydujesz się kolekcjonować. Ten drobny warunek wyklucza wszystkie rodzaje toksycznego zbieractwa. Moja kolekcja kubków nie stoi za pancernym szkłem, tylko na półce nad ekspresem do kawy. Wszystkie eksponaty są regularnie używane, a gdy się zniszczą, usuwam je z kolekcji. Codziennie rano, gdy chcę zrobić sobie kawę, otwieram szafkę i cieszę się jej piękną zawartością, jednocześnie zastanawiam się, na jaki kubek mam dzisiaj ochotę: być może zdecyduję się na ten żółciutki z ręcznie malowanej hiszpańskiej porcelany prosto z Grenady lub ten czarny, matowy na trzech nóżkach wykonany według polskiego projektu. A może wybiorę filiżankę: turkusową, przywiezioną z Portugalii lub tę z porcelany bolesławieckiej w biało-błękitny wzór?

Minimalizm to nie tylko smutne słowa, takie jak „eliminacja" i „ograniczanie". Rzeczy są stworzone również po to, by nieść przyjemność i radość z ich użytkowania. Niemniej jednak, gdybym posiadała tych przedmiotów za dużo, nie byłabym w stanie cieszyć się ich urodą, nie miałabym też tyle czasu, żeby ich regularnie używać i podziwiać je w trakcie korzystania. Dokonuj więc mądrych wyborów. Otaczaj się przedmiotami, które wywołują uśmiech na Twojej twarzy, kolekcjonuj je, jeśli chcesz, byle świadomie.

„No to w końcu ile masz tych rzeczy?" – być może to pytanie do mnie nadal pojawia się w Twojej głowie. Szczerze mówiąc, nic wiem. Nigdy ich nie policzyłam co do sztuki. Nie mam takiej potrzeby. Nie koncentruję swojej energii na konieczności zejścia poniżej jakiegokolwiek progu. *Chcę mieć tyle rzeczy wokół siebie, ile mi faktycznie potrzeba. Bez zachcianek, fanaberii i zbędnego balastu.* Konkrety? Proszę bardzo. Mam jeden szampon do włosów i jeden żel pod prysznic. Jeden krem na dzień i jeden na noc. Z reguły unikam odpowiedzi na takie pytania, ponieważ liczba, która dla mnie jest optymalna, dla Ciebie może wcale taką nie być – nasze potrzeby są przecież w dużym stopniu zindywidualizowane.

Ile powinnaś mieć rzeczy? Nie powiem Ci. Miej ich tyle, ile Ci potrzeba. A jeśli nadal czujesz, że jest ich za dużo? Cóż, jeśli jeszcze nie zmobilizowałam Cię do zmian, to zostało na to kilka rozdziałów tej książki.

ROZDZIAŁ 6

Sentyment

Rzeczy są łącznikami z przeszłością i katalizatorami wspomnień. Choć nie należę do szczególnie sentymentalnych osób, *doskonale rozumiem specyficzną więź, która łączy nas z przedmiotami. Wyznaczają one bowiem rytm naszego życia, dokumentują jego etapy i stają się świadkami naszej historii.* Osiągnięcia i porażki, niemowlęcy kocyk, pierwszy utracony mleczak, zeszyt w linie z podstawówki zapisany równiutkim pismem, pierwszy list miłosny, jeansy, w których robiło się furorę na licealnej imprezie, świadectwo maturalne, indeks z czasów studiów, pierwszy fotel kupiony do własnego mieszkania i znowu niemowlęcy kocyk... Koło życia sygnowane przedmiotami.

KATALIZATOR WSPOMNIEŃ

Cytowana już wcześniej Małgorzata Górnik-Durose napisała: „Pozbywanie się dóbr, np. oddawanie lub sprzedawanie ich innym, nie jest prostą sprawą, ponieważ symboliczność rzeczy powoduje, że wraz z przedmiotem jego posiadacz pozbywa się często części własnej tożsamości, poczucia własnej wartości, emocjonalnego komfortu i bezpieczeństwa. Niektórzy ludzie pozbywają się sentymentalnych przedmiotów bez wahania, są natomiast i tacy, którzy latami gromadzą na strychach, w swoich szafach i szafkach ubrania, sprzęt, zapiski, czasopisma itp., z których już dawno nie korzystają. Tworzą swoistego rodzaju indywidualne muzea i archiwa. Pozbycie się ich budzi lęk przed zubożeniem własnego Ja. Przykładowo, sprzedawanie rodzinnego domu nie będzie tylko transakcją, w której za materialny obiekt chce się uzyskać jak najlepszą cenę. Będzie to w istocie zamiana na pieniądze własnego dzieciństwa, wspomnień o znaczących ludziach i zdarzeniach oraz elementów własnej tożsamości"[29]. Pozbycie się tego rodzaju przedmiotów budzi wewnętrzny opór. U Ciebie również?

Ważność przedmiotu dla posiadacza wyraża się również w traktowaniu rzeczy, które wyszły z codziennego użycia.

W procesie oczyszczania swojej przestrzeni wielokrotnie odnajdywałam pochowane, nagromadzone przez lata przedmioty, które budziły we mnie ambiwalentne odczucia. Były to zwłaszcza rzeczy, które otrzymałam z rąk bliskich osób: maskotki, listy czy biżuteria, kiedyś piękna, teraz zupełnie do mnie niepasująca. Z jednej strony wiedziałam, że te przedmioty już zupełnie nie są mi potrzebne, nie będę ich używać i w pewnym sensie po prostu nie chcę ich już trzymać. Z drugiej zaś pozostał mi do nich sentyment. Zrozumienie, że coś, co brałam za sentyment, wcale nim nie jest, zajęło mi wiele czasu. Emocja, która wstrzymywała mnie skutecznie przed pozbyciem się zbędnych przedmiotów, okazała się czymś zupełnie innym – najczęściej

29   Małgorzata Górnik-Durose, *Psychologiczne aspekty posiadania…*, dz. cyt.

targały mną zwyczajne wyrzuty sumienia. Jakbym poprzez pozbycie się jakiejś rzeczy miała sprawić przykrość temu, od kogo ją dostałam. I nie miało znaczenia, czy w ogóle z tą osobą coś mnie jeszcze łączy. To nie był lęk typu: „Co mama sobie pomyśli, gdy zobaczy, że nie noszę sweterka, który mi dała w prezencie pod choinkę", a raczej wyimaginowane poczucie winy, że z tą rzeczą już mi nie po drodze.

Jeśli będziesz kurczowo trzymać się przeszłości, nie nauczysz się żyć tu i teraz.

Gdy odkryłam ten mechanizm, reszta stała się zupełnie klarowna. *Bo czym w istocie jest sentyment? Czy nie traktujemy go jak wymówki, która ma pomóc w uniknięciu trudnych decyzji?* Za tym wygodnym określeniem najczęściej chowa się cała gama emocji i uczuć. Strach, wyrzuty sumienia, złość, wstyd, ambicja, lęk, ale też tęsknota, radość czy miłość. Obcowanie z rzeczami wywołującymi sentyment może mieć dwojaką naturę. Z jednej strony potrzebujesz danego przedmiotu, ponieważ chcesz, żeby był katalizatorem pewnych uczuć, żeby je wywoływał. Mogą być to emocje, które w codziennym pędzie spychamy na drugi plan lub wręcz przeciwnie – bardzo za nimi tęsknimy. Z drugiej strony możesz nie chcieć skonfrontować się z określoną rzeczą, ponieważ boisz się uczuć, które może wzbudzić, i zupełnie świadomie starasz się o nich zapomnieć.

Pierwsze samodzielnie zarobione pieniądze, które mogłam wydać na coś innego niż utrzymanie, przeznaczyłam na zakup przepięknej czarnej skórzanej kopertówki znanego projektanta. Pamiętam doskonale to uczucie siły i sprawczości, które towarzyszyło mi przy kasie, poczucie, że mogę wydać sporą sumę na efektowny, trochę zbytkowny przedmiot. Sama te pieniądze zarobiłam, nikogo nie musiałam o nie prosić, przed nikim też nie musiałam się tłumaczyć. Przez wiele lat trzymałam tę torebkę nieużywaną w szafie. Nie miałam zbytnio okazji, żeby ją nosić, ale jednocześnie nie potrafiłam jej ani oddać, ani sprzedać. Czysty sentyment. Gdy postanowiłam zagłębić się w ten mój czułostkowy sprzeciw, odkryłam, że za tą torebką ukrywa się lęk. Jakby zwykła kopertówka stała się dla mnie swoistym symbolem niezależności. W jakiś tajemny, niezrozumiały sposób wierzyłam, że jeśli ją oddam, to stracę część swojej siły.

Badanie przeprowadzone na poznańskim Uniwersytecie SWPS pokazuje, że kobiety, szczególnie te znajdujące się w trudnej sytuacji życiowej, są skłonne traktować rzeczy jak członków rodziny, którzy zapewniają im wsparcie, gdy czują się samotne, odczuwają brak bliskich, pustkę czy ból po stracie ukochanej osoby[30]. Wiem, że to będzie bardzo odważna teza i wzbudzi być może Twój wewnętrzny sprzeciw, ale zaryzykuję: uważam, że im bardziej nie jesteś w stanie pogodzić się z przeszłością, zaakceptować jej i puścić w niepamięć, tym bardziej będziesz skłonna szukać zaspokojenia swoich teraźniejszych pragnień w rzeczach, które tę przeszłość symbolizują. Tkwienie w przeszłości nie pozwoli Ci wprowadzić zmian, których potrzebujesz, a jeśli będziesz kurczowo się jej trzymać, nie nauczysz się żyć tu i teraz.

Pewnego dnia szybka decyzja pozwoliła mi rozstać się z torebką. Zamknęłam oczy i ją sprzedałam. Czy stało się coś strasznego? Ależ skąd! Moja siła i niezależność jest we mnie, nie w toreb-

---

30   Badanie to zostało przeprowadzone w 2011 roku. Jego pełny tytuł brzmi: *Czy trauma i poczucie samotności wpływają na antropomorfizację przedmiotów użytkowych i sentymentalnych?*.

ce ani jakiejkolwiek innej rzeczy. *Już nie potrzebuję talizmanów, żeby wierzyć, że w każdych okolicznościach dam sobie radę. Wspomnienia noszę w sobie i przedmioty nie muszą mi o nich przypominać.* Przeszłość odchodzi i nie ma już większego znaczenia, a kurczowe trzymanie się wspomnień nie przynosi radości, ale jedynie frustrację. Żadna rzecz nie przywróci tego, co minęło. Trzymanie listów miłosnych nie pomoże udowodnić sobie, że nadal jest się godnym miłości. Nawet najgrubszy i najpiękniejszy album ze zdjęciami nie spowoduje, że powrócą przyjaciele, którzy odeszli. Chcę czerpać swoją moc z siebie, niezależnie od posiadanych przedmiotów, a Ty? *Czy przypadkiem nie uzależniasz swojego poczucia wartości, pewności siebie i poczucia bycia kochaną od rzeczy?*

SKALA PRZYWIĄZANIA

Według definicji słownikowej sentyment to „uczucie sympatii i przywiązania do kogoś lub czegoś"[31]. Gdybym zapytała Cię teraz, po co gromadzisz przedmioty, co byś odruchowo odpowiedziała? Zapewne powołałabyś się na ich użyteczność. Rzeczy są Ci przecież potrzebne po to, aby z nich korzystać, prawda? Wykonywać podstawowe czynności: jeść, pracować, myć się, przemieszczać. Niemniej jednak w Twoim otoczeniu jest również mnóstwo przedmiotów, z których tak naprawdę nie korzystasz i które nie mają żadnej praktycznej funkcji, a czasami nawet żadnej obiektywnej wartości materialnej – jak fotografie bliskich, wszelkie dekoracje, różne drobiazgi i pamiątki – a jednak nie pozbyłabyś się ich za żadne skarby świata.

---

31 *Słownik 100 tysięcy potrzebnych słów*, red. Jerzy Bralczyk, dz. cyt.

Kiedyś sądziłam, że trzymanie pamiątek pozwoli mi utrzymać łączność ze wspomnieniami. Nie jestem pozbawiona uczuć – wzrusza mnie przeglądanie starych fotografii czy natknięcie się w bibliotece na ukochaną książkę z dzieciństwa. Rozumiem też uczucia, które napływają falami, gdy szperamy w pudełku z pamiątkami.

Takich emocji możemy jednak doświadczyć wyłącznie wtedy, gdy tych przedmiotów nie będzie zbyt wiele. Przeglądanie dziesiątego kartonu z zeszytami z podstawówki nie spowoduje nagromadzenia ciepłych uczuć. Raczej wywoła znudzenie, być może nawet pomieszane z irytacją. Moja koleżanka ma Magiczną Szufladę, w której trzyma trochę drobiazgów przywiezionych ze swoich podróży. Czy to coś złego? Oczywiście, że nie. Pod warunkiem że z czasem Magiczna Szuflada nie zamieni się w Magiczną Szafę, Magiczna Szafa w Magiczny Pokój, a Magiczny Pokój w Wypełnioną Po Brzegi Magiczną Piwnicę. Jeśli faktycznie jesteś w stanie zmieścić wszystkie pamiątkowe przedmioty w jednym pudełku, to wszystko jest w porządku.

Jeśli jednak Twoja sytuacja przypomina przypadek Ilony, jednej z moich Czytelniczek, to masz powody do niepokoju. Ilona napisała: „Największy kłopot to wszelkie pamiątki związane z moimi Dziećmi – rysunki, kamyczki, kasztany, ubranka czy książeczki. Zebrałam ponad 20 kilogramów (tak, ważyłam!) ich rysunków od dosłownie pierwszej kreseczki narysowanej na karteczce, aż po «dzieła» kiedy mają już siedem i dziesięć lat... Nie potrafię wyrzucić żadnego kamyczka, żadnej muszelki, którą dla mnie znajdą... Plus jest taki, że przynajmniej wszystkie rysunki mam poukładane... chronologicznie". Poza ewidentnym ciężarem całego archiwum kłopotliwa jest również niepewność, czy Ilona kiedykolwiek będzie miała czas, żeby tak pokaźne zbiory przejrzeć i wzruszyć się nad każdą muszelką.

DZIECI

Właśnie, dzieci. Sentyment w stosunku do rzeczy, które trzymamy po naszych pociechach, jest tak obszernym zagadnieniem, że zasługuje na odrębną rozprawę naukową. Dziesiątki rozmów, które przeprowadziłam na ten temat, jednoznacznie wskazują, że to my, matki, mamy skłonność do gromadzenia różnych przedmiotów związanych z naszymi dziećmi, ojcowie bardzo rzadko wpisują się w tę tendencję.

Jeśli jesteś matką, zapewne masz na ten temat wyrobione zdanie, więc nie zamierzam narzucać Ci gotowych rozwiązań i schematów. Chcę jedynie, żebyś zastanowiła się uczciwie choćby nad tym, o czym pisałam wcześniej – nad skalą Twoich działań. Liczba rzeczy, które emocjonalnie wiążesz z dzieckiem, będzie rosła wraz z nim. Zaczyna się z reguły dość niewinnie – od opasek szpitalnych i pępowiny. Potem dochodzą ubranka, kocyki, a gdy tylko maluch podrośnie i zacznie tworzyć własnymi siłami, zaczniesz gromadzić rysunki, obrazki, plastelinowe ludziki, kamyczki, kasztany, muszelki znalezione na plaży i zabawki. Początek wieku szkolnego to przecież kolejny etap: zbierania szkolnych zeszytów, świadectw, kolejnych rysunków oraz nagród w szkolnych konkursach. I tak to trwa, mniej więcej do czasu studiów.

Wcale nie neguję potrzeby zachowania tych najważniejszych przedmiotów, a za takie matki najczęściej uważają: opaski szpitalne, pępowinę, najładniejsze rysunki czy pukiel pierwszych ściętych włosków. Zauważ proszę, że są to przedmioty, które zmieszczą się choćby w pudełku po butach. Gdy jednak na rzeczy po dzieciach musisz przeznaczyć cały pokój, strych lub piwnicę, to czy w Twojej głowie nie powinna zapalić się czerwona lampka?

Czy podobnie jak w wypadku innych przedmiotów zachowywanych z sentymentu zastanawiałaś się może, po co trzymasz pamiątki po pociechach?

Gdy zadawałam to pytanie mamom, ich odpowiedź najczęściej była taka sama: „Przechowuję te rzeczy dla dzieci, żeby mogły kiedyś je zobaczyć". Co ciekawe, czasami podejście tych samych osób zmieniało się diametralnie, gdy prosiłam je o postawienie się w pozycji dziecka swoich rodziców. Prawie nikt nie wyraził chęci przejrzenia tych wszystkich przedmiotów, które rodzice dla niego zgromadzili. Obejrzenie wybranych, najważniejszych rzeczy – tak. Przeglądanie całej piwnicy czy strychu – zdecydowanie nie.

Prawie zawsze zawyżamy cenę należących do nas rzeczy, zwłaszcza tych, które mają bezpośredni związek z emocjami.

Ola, jedna z moich Czytelniczek, napisała w swojej historii: „Otrzeźwienie przyjęło brutalną formę i przyszło z nieoczekiwanym odejściem mojej mamy. Nagle musiałam uporać się z wszystkimi jej rzeczami, nie tylko osobistymi, ale też niezliczonymi, niedokończonymi robótkami, zapasami, nitkami, wycinkami z gazet i schowanymi pomiędzy nimi listami, które pisałyśmy do siebie, gdy byłam mała. Przez dwa miesiące przeglądałam przedmiot za przedmiotem w obawie, że mogę wyrzucić coś cennego. Po raz pierwszy w życiu rzeczy materialne, które do tej pory były źródłem krótkotrwałego zadowolenia, przyniosły tyle bólu. Pod wpływem tego dramatu zaczęła we mnie kiełkować myśl, że nie chciałabym, żeby ktoś musiał przedzierać się w ten sam sposób przez czeluści mojej szafy, przez tony bibelotów, które trzymam bezmyślnie. Mnie to doświadczenie zmusiło do zrewidowania własnego doczesnego stanu posiadania. Jaki ślad pozostawiłabym po sobie? Więc sama postanowiłam po sobie posprzątać. Nie zaczęłam się nagle przygotowywać na własną śmierć, ale podałam w wątpliwość to, co tak naprawdę jest mi do życia potrzebne. Teraz przede wszystkim staram się szybko rozstawać z moją (szeroko pojętą) przeszłością i rzeczami, które już mi nie służą, żeby ktoś inny kiedyś nie musiał tego robić za mnie".

Naprawdę gromadzisz te wszystkie rzeczy dla swoich dzieci? Czy raczej dla samej siebie?

WARTOŚĆ SENTYMENTALNA

Który przedmiot wyrzucić, a który zostawić? Jest to kwestia w dużym stopniu indywidualna i nie zamierzam oceniać, które rzeczy mogą mieć wartość pamiątkową, a które nie. Niemniej jednak pozbywanie się sentymentalnych przedmiotów okazuje się problematyczne z dwóch powodów. Przede wszystkim będzie Ci trudno podjąć decyzję co do samego faktu wyeliminowania jakiejś pamiątki ze swojej przestrzeni. Gdy klamka zapadnie, kolejny krok może okazać się równie kłopotliwy. Załóżmy, że chcesz sprzedać biżuterię, z którą wiążą się określone wspomnienia. Zanosisz ją do jubilera i wystawiasz na portalu aukcyjnym. Wtedy najczęściej dowiadujesz się, że realna wartość tego przedmiotu jest mniejsza, niż oczekiwałaś, ponieważ prawie zawsze zawyżamy cenę należących do nas rzeczy, zwłaszcza tych, które mają bezpośredni związek z emocjami. Mieszamy wartość rynkową z emocjonalną. Nawet przecież słowo „drogi" ma podwójne znaczenie. Przedmiot może być taki z uwagi na jego wysoką cenę, ale może być również bliski naszemu sercu. Tutaj leży sedno całego problemu. Gdy masz zamiar czegoś się pozbyć, spróbuj oddzielić realną wartość tej rzeczy od jej wartości sentymentalnej. *To, co dla Ciebie jest rodzinnym klejnotem, dla jubilera będzie zwykłym przedmiotem o cenie zależnej od wartości kruszcu czy kamieni szlachetnych.* Ze świadomością tego rozróżnienia będzie Ci dużo łatwiej sporządzić właściwą wycenę jakiejś rzeczy i w ostateczności szybciej się jej pozbyć.

SZACUNEK

Na posiadanych przez nas przedmiotach odciska się piętno czasu. Kiedyś wiek nadawał rzeczom szlachetności, nie odbierając im przy tym właściwości użytkowych. Dziś rozpadają się one w starciu z czasem. Są projektowane tak, aby uwodzić wyglądem, wywoływać określone emocje i odczucia, ale tylko na chwilę. Nasz związek z przedmiotami jest pozbawiony głębszego znaczenia, pomimo sentymentów przypomina bardziej krótkotrwały romans niż poważną, wieloletnią relację.

Cudownie pisał o tym cytowany już Deyan Sudjic: „[...] poobtłukiwane nikony, ciągane przez fotografów z czasów wojny wietnamskiej przez pola śmierci Południowo-Wschodniej Azji, z zaklejonym logo, by nie przyciągało uwagi snajperów, i z ciężką metalową obudową wyłaniającą się spod odpryskującej czarnej farby. Były to przedmioty zasługujące na szacunek. [...] Przedmioty, których sam wygląd zewnętrzny był wyrazem geniuszu i ich wartości. Miały zachować trwałość na długie lata, działając z niezawodnością [...]. Te właściwości nie tracą wartości nawet po latach"[32].

Zgubiliśmy gdzieś po drodze ten szacunek do rzeczy, którymi się otaczamy. Przyjęliśmy jako pewnik ich tymczasowość i łatwą wymienialność. Mamy ich wokół siebie tak dużo, że zwyczajnie nie wystarcza nam sił, chęci i czasu, żeby o nie właściwie zadbać. Naprawianie przedmiotów jest rzadką praktyką, raczej wyrzuca się je i zwyczajnie kupuje nowe. Jakie to dziwne, z jednej strony podchodzimy do niektórych naszych rzeczy wyjątkowo sentymentalnie, nie chcemy się z nimi rozstać i traktujemy je niemal jak członków rodziny, a z drugiej bezlitośnie pozbywamy się tych, które już nie spełniają perfekcyjnie swojej funkcji.

Kiedy ostatnio pastowałaś buty? Dawno? Wcale nie jestem lepsza, choć bardzo się staram. Buty należy pastować, właściwie przechowywać (nie wrzucać ich byle jak do szafki), wymieniać fleki, zanim zedrze się obcas, a tenisówek nie powinno się prać w pralce. Zwykliśmy narzekać, że przedmioty szybko tracą swoje właściwości, niszczeją, ale czy nie przykładamy do tego ręki, zapominając, by codziennie o nie dbać?

Może stąd wynika nasz sentyment do przedmiotów odziedziczonych po rodzicach lub, częściej, po dziadkach? Zapytałam swoje Czytelniczki, czy mają w swoich domach rzeczy, o których można powiedzieć, że nabrały szlachetności wraz z upływem czasu. Najczęściej wskazywano na bardzo stare przedmioty, wyprodukowane lata temu i przekazywane z pokolenia na pokolenie. Trzynastotomowa encyklopedia z 1963 roku w materiałowej okładce, srebrne kolczyki z rubinami od babci, dębowa rzeźbiona komoda po prababci, skórzana torebka po babci,

32   Deyan Sudjic, *Język rzeczy...*, dz. cyt.

papierowy anioł nakładany na czubek choinki, kupiony przed wojną – Anioł Stróż, jak go nazwała obecna właścicielka, reprezentująca kolejne pokolenie cieszące się jego opieką.

A jakie przedmioty my pozostawimy przyszłym pokoleniom?

METODY I NARZĘDZIA

Jeśli bardzo trudno pożegnać Ci się z rzeczami, które wzbudzają Twój sentyment, mam dla Ciebie kilka porad, a jednocześnie wypróbowanych narzędzi. Przede wszystkim jednak zastanów się, co sprawia, że tak kurczowo trzymasz się tych konkretnych przedmiotów i wspomnień. Według przywołanej wcześniej definicji słownikowej sentyment to zwykła sympatia. Czy faktycznie tak jest w Twoim wypadku? Co czujesz, gdy myślisz o pozbyciu się jakiejś rzeczy? Sprzeciw, lęk, wyrzuty sumienia, tęsknotę?

Rozstanie się z przedmiotem, który budzi sentymentalne wspomnienia, nie oznacza przecież, że przekreślasz całą swoją przeszłość.

I jak myślisz, dlaczego są to te, a nie inne emocje? Odpowiedź na te pytania nie jest pozbawiona sensu. Jeśli będzie szczera, pozwoli Ci zrozumieć zakorzenione w Tobie bardzo głęboko mechanizmy i przekonania. To, czy zdecydujesz się im przeciwstawić, jest już wyłącznie Twoją decyzją.

W pewnym momencie swojego życia postanowiłam uwolnić się od tych schematów i pozbyć się wszystkich sentymentalnych rzeczy. Znalazłam sposób na świadome oddzielenie emocji od przedmiotu, który je wzbudza. Wymagało to ode mnie pogodzenia się z tym, co już było, oraz wybaczenia sobie i innym. Pozbywając się tych przedmiotów, świadomie zdecydowałam się zostawić przeszłość w tyle i skierować swoje myśli i działania ku temu, co obecnie dzieje się w moim życiu. Nie musisz mi wierzyć na słowo i wiem, że zabrzmi to banalnie, ale od momentu podjęcia tej decyzji doszło do różnych wspaniałych zdarzeń w moim życiu. A to dlatego, że *rzeczy, którymi się otaczamy, mają na nas ogromny wpływ, dużo większy, niż kiedykolwiek bylibyśmy w stanie przyznać*. Rozstanie się z przedmiotem, który budzi sentymentalne wspomnienia, nie oznacza przecież, że przekreślasz całą swoją przeszłość.

Zmiana podejścia do gromadzenia rzeczy powodowanego sentymentem może być trudna również dlatego, że pozbywanie się tego typu przedmiotów jest społecznie negowane, premiowana jest natomiast postawa zbieractwa. Jedna z moich koleżanek po wyrzuceniu kilku rysunków swojego syna zderzyła się ze zdecydowanym sprzeciwem teściowej. Bo przecież „dobra matka powinna dzieciom te rysunki trzymać".

Jeśli należysz do bardzo sentymentalnych osób i lektura tego rozdziału była dla Ciebie trudna, nie mówiąc już o wprowadzeniu moich rad w życie, nie martw się. W całym tym procesie chodzi o to, żeby zacząć i choć odrobinę stopniowo się przełamywać. Nie musisz, a nawet nie powinnaś rzucać się od razu na całą zawartość piwnicy. Zacznij od jednej rzeczy. Zastosuj jedną, wybraną metodę. Próbuj.

Krok pierwszy – oddziel uczucia od przedmiotów. Jeśli odpowiedziałaś sobie szczerze na pytania zadane powyżej, pierwszy krok masz właściwie za sobą, polega on bowiem na odkryciu i nazwaniu emocji, która nie pozwala Ci pozbyć się konkretnego przedmiotu.

Krok drugi – uhonoruj tę rzecz. Poważnie. Uhonoruj przedmiot, którego chcesz się pozbyć. I nie mam tutaj na myśli ceremonii podziękowania opisanej przez Marie Kondo[33]. Rzecz możesz uhonorować na kilka sposobów – możesz zrobić jej zdjęcie i zachować je w albumie, zadzwonić do osoby, którą przypomina Ci dany przedmiot, lub opowiedzieć komuś o emocjach i wspomnieniach, które z tą rzeczą się łączą. Tak naprawdę chodzi o swoiste zaspokojenie potrzeb Twojej prawej półkuli, która jest odpowiedzialna za emocje, podczas gdy lewa, bardziej logiczna, „rozumie", że ten przedmiot powinien już odejść i znaleźć inny dom.

——————— Metoda sentymentalnego pudełka lub albumu

Jest to chyba najprostsza i najłatwiejsza do przełknięcia metoda uporania się z sentymentem. Nie jestem jej fanką, ponieważ poniekąd podsyca sentymentalne skłonności, ale wiem, że wielu osobom pomogła.

Polega ona na włożeniu wszystkich rzeczy, których chciałabyś się pozbyć (ale z sentymentu nie potrafisz), do jednego

---

33 Metoda wskazana w książce Marie Kondo, *Magia sprzątania*, przeł. Magdalena Macińska, Wydawnictwo Muza SA, Warszawa 2015.

pudełka. Gdy problem dotyczy dużej liczby przedmiotów lub gdy mają one spore gabaryty, możesz skorzystać z jednego z dwóch sposobów na to, by zmieściły się w jednym kartonie.

Sposób pierwszy – zdigitalizuj zasoby. Zrób im zdjęcia, które umieścisz w specjalnie stworzonych do tego celu folderach na komputerze lub dysku zewnętrznym. Możesz je poukładać chronologicznie, tematycznie, jak tylko masz ochotę. Może się tam znaleźć każdy rysunek dziecka, każdy kamyczek i kasztan przyniesiony do domu dziecięcą rączką jakby był najważniejszym skarbem. Doskonale rozumiem emocje, które przeżywają wtedy rodzice, ale niech te uczucia wzbogacają, a nie zagracają. Po sesji fotograficznej pozbądź się oryginałów. Jeśli chcesz, zachowaj te najważniejsze rysunki, ale pod warunkiem że zmieszczą się w przeznaczonym do tego celu pudełku.

Sposób drugi – pożegnanie się z rzeczą z nożyczkami w ręku. To świetne narzędzie gdy przedmiot, który żegnamy, faktycznie nadaje się tylko do wyrzucenia. Odzyskaj jakiś jego element. Będzie on nadal nośnikiem tych samych emocji, ale rozmiary przechowywanej rzeczy znacznie się zmniejszą. Najlepiej sprawdza się to z ubraniami. Przykładowo zamiast całych jeansów z liceum zachowaj tylko guzik. To doskonała metoda również w stosunku do starych, wysłużonych mebli. Kiedy pierwszy fotel kupiony do nowego mieszkania nie nadaje się już do użytku, ale szkoda go wyrzucić, odetnij od niego kawałek obicia, a reszty się pozbądź. Podobnie możesz postąpić z rączką od starej komody. Emocje zostaną, a zbędne rzeczy odejdą i zostawią wolną przestrzeń.

Ten sposób ma wiele wspólnego z poprzednimi; zazębia się z nimi, ale może być też stosowany odrębnie. Umów się sama ze sobą, że przeznaczasz określoną przestrzeń na sentymentalne przedmioty. Może to być jedno pudełko, dwie półki w szafie lub karton w piwnicy. Byle nie cała piwnica.

To ważne, ponieważ budzących sentyment rzeczy będzie coraz więcej. Dzieci zarysują kolejne kartki, wybierzesz się w kolejne podróże, przybędzie wspomnień i przedmiotów, które te wspomnienia mają przywoływać. Pilnuj tej przestrzeni – dbaj o nią i regularnie pozbywaj się śmieci. Rzecz, która rok temu wydawała się najważniejsza na świecie, dziś już może wcale taką nie być. *Narzucenie sobie mądrych granic, także tych fizycznych, jest dobre, na przykład świadome ograniczenie przestrzeni przeznaczonej na sentymenty.*

———— Test użyteczności

Kiedyś jedna z moich Czytelniczek napisała: „Należę do tych osób, które używają danej rzeczy do czasu, aż się kompletnie zużyje, dlatego szkoda mi wyrzucać coś dobrego i niezniszczonego, co jeszcze nadaje się do użytku”. Często słyszę ten argument i zawsze w odpowiedzi zadaję to samo pytanie: *„Czy to, że dana rzecz wciąż nadaje się do użytku, sprawia, że będziesz z niej korzystać?”.* Wbrew pozorom jedno wcale nie wynika z drugiego.

Test użyteczności jest szczególnie przydatny w stosunku do ubrań, które trzymamy ze względów sentymentalnych.

Zapewne już spotkałaś się z tą metodą i nieraz z niej korzystałaś. Prawidłowo zastosowana, jest niezwykle skuteczna.

Jeśli trzymasz w czeluściach swojej szafy jakieś ubranie, którego nie nosisz i którego chciałabyś się pozbyć, ale sentyment Ci na to nie pozwala, zrób test. Oderwij się teraz od książki, idź do szafy, załóż je i wybierz się w nim na spacer, na zakupy lub do kina. Gdzieś, gdzie zobaczą Cię ludzie.

Jeśli jesteś w stanie to zrobić, ubranie ma jeszcze potencjał użytkowy. Nie oznacza to, że faktycznie będziesz je nosić, ale istnieje taka możliwość. Założę się jednak, że w większości wypadków nie przejdzie ono testu użyteczności. Bo jest za małe, za duże, zwyczajnie brzydkie, głupio się w nim pokazać ludziom, nie pasuje do Twojego aktualnego stylu, nie jesteś już w ciąży lub jest staromodne. Każdy z tych argumentów jest doskonałym powodem, by tę konkretną rzecz zdecydowanie i bez wymówek wrzucić do worka z napisem „sprzedać", „oddać" lub „wyrzucić".

ROZDZIAŁ 7

Praktyka

W chwili obecnej mogę ze spokojnym sumieniem powiedzieć, że uporałam się z nadmiarem w tym podstawowym, fizycznym sensie – przedmiotów w moim otoczeniu. To nie oznacza jednak końca drogi, choć dużo więcej uwagi poświęcam teraz konsekwentnemu nabywaniu wyłącznie potrzebnych przedmiotów niż pozbywaniu się tego, co już kupiłam. Nie pozwalam sobie na zaśmiecenie z trudem zdobytej przestrzeni. Jestem dumna z tego, że w moim mieszkaniu jest coraz więcej pustych półek, a ja nie mam najmniejszej ochoty na ich zapełnienie. Z konsumpcji przekierowuję swoją uwagę na produkcję. Zamiast płacić komuś za wykonanie rzeczy, próbuję robić je sama. Uczę się zapomnianego rękodzieła, choćby robienia na drutach.

Nie wiem, na jakim etapie drogi się znajdujesz, czy dopiero myślisz o uproszczeniu swojego otoczenia, czy jesteś w tym procesie zaawansowana. Liczę się z tym, że przeczytasz ten rozdział i pomyślisz, że zawarte w nim rady i wnioski są oczywiste. Jeśli tak, gratuluję Ci z całego serca, ponieważ to zapewne będzie oznaczać, że osiągnęłaś swój cel. Niniejszy rozdział kieruję raczej do osób, które nadal borykają się z problemem nadmiaru i które nie bardzo wiedzą, w jaki sposób go rozwiązać, lub podjęły próbę uporania się z nim, ale utknęły w martwym punkcie.

OD CZEGO ZACZĄĆ?

Pozbywanie się przedmiotów, uporządkowanie przestrzeni, ustalenie wartości. To wszystko działania, które będą wymagać od Ciebie sporych zasobów energii, poświęcenia, konsekwencji, a czasami naprawdę dużego wysiłku. No i czasu, który tak trudno wygospodarować spośród gąszczu zadań wpisanych do kalendarza. Doskonale zdaję sobie z tego sprawę. Oczywiście mnie to też dotyczy. Wiem też, że nawet największego słonia da się zjeść po kawałeczku. Byle tylko zacząć.

Nie ma lepszego planu działania niż samo działanie.

Wiem, że bałagan może Cię teraz przerażać, ale z czasem naprawdę będzie łatwiej. Pomyśl: czy te wszystkie rzeczy, niezałatwione sprawy, długi i ogony ciągnące się za Tobą od tak dawna, że już nawet nie pamiętasz, kiedy się to wszystko zaczęło, nie konsumują Twojej energii? Ciągle o nich myślisz. Przedmioty przestawiasz z miejsca na miejsce, wycierasz z kurzu, szukasz dla nich przestrzeni i w rezultacie dokupujesz coraz to nowe gadżety, akcesoria i sprzęty, które mają Ci pomóc upchnąć jeszcze więcej na coraz bardziej kurczącej się przestrzeni życiowej. Wywozisz te rzeczy do rodziców lub podrzucasz znajomym, aby je pomieścić, wynajmujesz magazyn lub zajmujesz garaż. Piwnica wypełniona jest po sam sufit, a sama myśl o zejściu do niej napawa Cię przerażeniem. Uporanie się z tym wszystkim będzie czasochłonne, trudne i wymagające, ale ma jedną, niezaprzeczalną zaletę. Przy odrobinie samozaparcia okaże się jednorazowym działaniem. *Pozbycie się zbędnych rzeczy sprawi, że już nigdy więcej nie będziesz musiała się z nimi borykać.*

Jestem zwolenniczką nie rewolucji, ale ewolucji. Każda zmiana, a już zwłaszcza tak poważna, jak oczyszczenie przestrzeni z różnego rodzaju balastów, wymaga cierpliwości. Jest to proces, który może trwać bardzo długo. Każdy z nas jest inny, ma inną wrażliwość i inaczej reaguje na zmiany, dlatego daj sobie tyle czasu, ile potrzebujesz. Nie chodzi tu o stosowanie wymówek czy oszukiwanie się – żeby ta zmiana miała sens i przyniosła efekt trwalszy niż wiosenne porządki, musisz być uczciwa wobec samej siebie. Czasami chaos bywa tak obezwładniający, że po prostu nie wiadomo, od czego zacząć. Pojawia się wtedy pokusa: „Może tak to zostawię i pójdę zrobić kawę...".

Nie od razu Rzym zbudowano, a każda podróż zaczyna się od małego kroku – mogłabym tu wymienić jeszcze więcej inspirujących lub irytujących stwierdzeń, ale tego nie zrobię. Jeśli przeszkadza Ci chaos i dyktatura rzeczy w Twoim otoczeniu, to sama musisz się z tym zmierzyć. Nikt Cię nie wyręczy, nawet perfekcyjna pani domu nie sprząta za uczestników programu. Ja także nie wskażę Ci złotej reguły, ale mogę przedstawić rozwiązania, które sprawdzają się w moim przypadku. Mam umysł stratega. Proces konsekwentnego oczyszczania przestrzeni można potraktować jak projekt, którym trzeba się zająć. Jest to podejście, które bardzo lubię, ponieważ pozwala stopniowo wprowadzać minimalizm do codziennego życia. Ważne są w nim trzy działania.

Po pierwsze cel, czyli motywacja. Pozwól, że odwołam się w tym miejscu do pierwszego rozdziału tej książki, do zagadnienia świadomości. Czy przekonałaś już samą siebie, że wśród tych wszystkich rzeczy zalegających w Twoich szafach, szufladach i na półkach są przedmioty zbędne i niepotrzebne? Wiesz już, jaki jest Twój cel, po co Ci upraszczanie i dlaczego chcesz oczyścić swoją przestrzeń? Jeśli tak, to jest to Twoja motywacja, bez niej po prostu się nie uda. Jak daleko jesteś od osiągnięcia tego celu?

Po drugie strategia, czyli plan. Na rynku pojawia się coraz więcej poradników i blogów pełnych porad na temat metod, sposobów i rozwiązań, jak dobrze sprzątać i jak być perfekcyjną panią domu. Czy lepiej robić porządki pokojami czy kategoriami przedmiotów? Rzeczy układać poziomo czy pionowo? Popyt rodzi podaż. Mam wrażenie, że tych tekstów jest tak dużo, ponieważ zamiast działać, lubimy o tym czytać. Tymczasem nie ma lepszego planu działania niż samo działanie. Paradoksalnie to jednocześnie najłatwiejsza i najtrudniejsza taktyka. Jeśli jesteś, podobnie jak ja, zwolenniczką strategii, określ kolejne czynności, które będziesz musiała podjąć, i zastanów się, jakimi zasobami dysponujesz. Ile czasu jesteś w stanie wygospodarować każdego dnia? Kto może Cię wesprzeć?

Po trzecie konsekwencja. To oczywiście zależy od stopnia zabałaganienia, ale jednorazowe posprzątanie jest zazwyczaj względnie łatwe. Dużo większym wyzwaniem jest utrzymanie stałych nawyków. Konsekwencja i dyscyplina są nieodzowne. Kojarzy się to z wojskiem, ale w gruncie rzeczy jest całkiem przyjemne, naprawdę. Z zaskoczeniem odkryłam, że można znaleźć upodobanie w niekupowaniu.

WYRZUCANIE PRZEZ KUPOWANIE

Gdy rozpoczynasz swoją przygodę z ograniczaniem liczby rzeczy wokół siebie, najbardziej kuszą Cię... zakupy! Powiedzmy, że wyrzucasz na środek podłogi zawartość szafki i myślisz sobie:

„No dobra, nie jest wcale tak strasznie. Może wystarczy *kupić* kilka plastikowych pudełek i poukładać w nich rzeczy, porządek w szafie z ubraniami zacząć od *kupna* nowych wieszaków, zapisywanie wydatków od *zakupu* nowiuśkiego, ślicznego notesu...". Stop. Otóż to nie działa w ten sposób. To tak, jakbyś chciała leczyć przeziębienie wystawieniem mokrej głowy na mróz i wiatr. Postępując tak, tylko mydlisz sobie oczy. Maskujesz problem, dokładając świeżą warstwę przedmiotów.

Z tego powodu początek procesu oczyszczania przestrzeni warto połączyć ze szlabanem na zakupy. W ten sposób pomożesz sobie i zwiększysz szansę na uniknięcie pokus. Uważaj, Twój umysł będzie szukał wymówek. „Przecież mogłabym kupić te śliczne pudełka, a potem, gdy już przeprowadzę to minimalizowanie, będą dla dziecka na kredki. Przecież w domu zawsze przydadzą się pudełka, prawda?". To tylko przykład. Brzmi znajomo? To właśnie sprawka Twojego mózgu nieprzyzwyczajonego do takiej niewygodnej sytuacji. Być może zastanawiasz się, dlaczego piszę o nim jak o czymś, nad czym nie mamy kontroli? Ponieważ to pomaga zrozumieć pewne mechanizmy. Możesz sobie wyobrazić, że w Twojej głowie siedzi złośliwy chochlik, a jego głosik podpowiada Ci różne wygodne dla Ciebie, ale niezbyt pożyteczne rzeczy. To ten sam, który skutecznie uniemożliwia Ci rzucenie papierosów i nakłania do zjedzenia pączka lub kupienia jakiejś rzeczy. Posłuchasz go?

STRATEGIA

Załóżmy, że się przygotowałaś. Masz silną motywację, określiłaś swój cel i zrozumiałaś mechanizmy, które rządzą Twoim zachowaniem w stosunku do przedmiotów. Chcesz uporać się z nadmiarem, więc podjęłaś decyzję i jesteś gotowa na zmianę. Pora zatem przejść do praktyki. Przygotowałam dla Ciebie coś na kształt planu działania – znajdziesz go na końcu książki. Gdy sama zaczynałam porządki, bardzo brakowało mi takiej podpowiedzi. Nie ogólnej rady w stylu: „Posprzątaj, a zobaczysz, że będzie lepiej", tylko swoistego poradnika, bardzo konkretnego, nawiązującego do polskich realiów. Planu, który ktoś już przerobił. Wskazówki co, gdzie, komu i za ile oraz jak wyrzucić, oddać, sprzedać lub przerobić. Nie byłam świadoma, jakie pułapki na mnie czekają. Wszystko robiłam intuicyjnie. Bazując na swoich doświadczeniach, przygotowałam taki plan dla Ciebie. Po raz kolejny podkreślam, że każdy z nas jest inny i może borykać się z odmiennymi problemami, starałam się jednak, żeby zawarte tam punkty były jak najbardziej uniwersalne i praktyczne.

Uwierz mi, nie jest istotne, jaką kolejność realizowania zadań wybierzesz. W gruncie rzeczy nie jest nawet tak bardzo ważne, czy będziesz miała jakikolwiek plan. Możesz skorzystać z wielu podpowiedzi i sprawdzonych sposobów. Możesz motywować się za pomocą wyzwań lub robić listy. Wszystkie te narzędzia również spisałam dla Twojej wygody. Wybór należy do Ciebie. Istnieje jednak pewna zasada, która znacząco Ci pomoże i ułatwi życie. Brzmi ona: zrób to od razu. *Unikaj jak ognia kontemplowania każdej rzeczy. Daj sobie czas na uporanie się z emocjami, ale podejmuj szybkie decyzje co do pozbycia się przedmiotów.* Wizualizuj sobie przestrzeń bez nich. Nie przekładaj ich z miejsca na miejsce. Jeśli siedzisz teraz na kanapie i masz w zasięgu wzroku miejsce, które wymaga uporządkowania, idź tam i zrób to. Od razu. W dziewięciu przypadkach na dziesięć to zadanie zajmuje nie więcej niż dziesięć minut.

KTÓRE RZECZY SĄ ZBĘDNE?

Wbrew pozorom, kiedy patrzymy na cały ten chaos posiadanych przedmiotów, odróżnienie rzeczy potrzebnych od zbędnych może wcale nie być takie łatwe. Prawda jest taka, że wszyscy jesteśmy zbieraczami, choć każdy w innym stopniu. Nie wierzysz? Ogarnij wzrokiem przestrzeń przed sobą. Ile widzisz przedmiotów? Ile z nich nadal pełni swoją funkcję, a które przydałoby się naprawić? Ile czasu zajmuje Ci ich sprzątanie lub przestawianie? Czy Twoje szuflady, szafki, komody i skrytki nie zasługują czasem na miano zupełnie odrębnego bytu?

Najoczywistszym, najprostszym i najbardziej skutecznym narzędziem służącym do oddzielania rzeczy przydatnych od zbędnych jest test użyteczności. Teoretycznie rzeczy, z których faktycznie korzystasz na co dzień, są Ci niezbędne, a cała reszta – niepotrzebna.

Japonka Marie Kondo, autorka wspomnianego wcześniej światowego bestsellera o porządkowaniu, proponuje prostą metodę służącą do określania, które rzeczy są niezbędne. Jest to kryterium radości. Jeśli rzecz, którą bierzesz do ręki, wywołuje błysk w Twoich oczach – zostaje, jeśli nie – pozbywasz się jej. Jest to metoda, która ma równie wielu zwolenników, jak przeciwników. O ile, moim zdaniem, nie znajdzie ona zastosowania w odniesieniu do przedmiotów typowo użytkowych, o tyle w kwestii ubrań, książek czy dekoracji można ją śmiało wypróbować. A nuż zadziała? Przykładowo odkurzacz czy płyn do mycia naczyń nigdy nie wywołają mojej radości, ale z oczywistych względów się ich nie pozbędę. Natomiast książki, których czytanie nie sprawia mi przyjemności, mogę oddać, sprzedać lub wyrzucić.

Jedna zasada znacząco Ci pomoże i ułatwi życie. Ta reguła brzmi: zrób to od razu.

Jeśli chodzi o mnie, wolę stosować trochę inną, bardziej uniwersalną metodę, którą określam pozornie skomplikowanym wzorem 3P (P+P). Zostawiamy wyłącznie te przedmioty, które są *piękne, pożyteczne, pamiątkowe*. Każdy, kto choć raz w życiu oglądał *Perfekcyjną panią domu*, doskonale zna tę zasadę, chociaż ja rozumiem i stosuję ją odrobinę inaczej. Nie wystarczy bowiem, by dana rzecz była albo piękna, albo pożyteczna, albo pamiątkowa. To kryteria, które w niczym nam nie pomogą. Poza tym wtedy mielibyśmy usprawiedliwienie dla zostawienia tych wszystkich brzydkich pamiątek, przykładowo papirusu z Egiptu, kupionych pod wpływem impulsu. Zasada 3P (P+P) mówi, że mogą pozostać wyłącznie przedmioty, które są jednocześnie: piękne i pożyteczne, pożyteczne i pamiątkowe lub pamiątkowe i piękne. To działa!

Na koniec jeszcze jedna wskazówka. Kiedy zaklasyfikujesz już jakiś przedmiot jako niezbędny, zadaj sobie pytanie: „Czy to rzecz, która faktycznie jest mi bardzo potrzebna, czy też ktoś nauczył mnie, że takie przedmioty należy, wypada lub trzeba trzymać w domu?". *Czy zatrzymasz tę rzecz, ponieważ jest Ci niezbędna, czy też dlatego, że Twoi rodzice zawsze ją mieli?*

Gdy wyselekcjonujesz już niepotrzebne przedmioty, napotkasz kolejny problem – co z nimi zrobić. Istnieją trzy możliwości: wyrzucić je, oddać lub sprzedać.

Świadomie nie dopisałam czwartego wariantu: wymienić. Dlaczego? Ponieważ moim celem – i Twoim, jeśli czytasz tę książkę – jest pozostawienie wyłącznie tych potrzebnych rzeczy. Tymczasem jakie jest prawdopodobieństwo, że posiadając zbędny przedmiot na wymianę, trafisz na osobę, która będzie go chciała od Ciebie wziąć, a w zamian zaoferuje ten, który znajduje się na Twojej liście rzeczy potrzebnych i niezbędnych? Szansa jest naprawdę nikła, więc najprawdopodobniej, jak w przysłowiu, wymienisz siekierkę na kijek – jeden zbędny przedmiot na inny, również niepotrzebny, cieszący oko cudownym – ale jakże złudnym – urokiem nowości.

Dlatego też nie ma znaczenia, czy zdecydujesz się działać według planu i którą metodę oczyszczania przestrzeni wybierzesz. Najważniejszym i najczęściej najtrudniejszym momentem jest zawsze sam koniec. *Przedmiotów, które zdecydujesz się usunąć, należy się pozbyć jak najszybciej i zrobić to raz na zawsze.* Niezależnie od tego, czy chcesz je oddać (najlepiej w ciągu dwóch dni), wyrzucić (zrób to od razu) czy sprzedać (koniecznie wyznacz sobie termin, do którego spróbujesz sprzedać niepotrzebne już przedmioty, a po jego upływie wyrzuć je lub oddaj). Im szybciej, tym lepiej.

Wiele osób ignoruje wagę tego momentu. Nadludzkim wysiłkiem porządkują, segregują i żegnają przedmioty, a potem torby z nimi zalegają tygodniami w przedpokoju lub salonie, a czasami, o zgrozo, lądują w piwnicy lub na strychu. W najgorszym wypadku zajrzysz do nich ponownie i zaczniesz wyciągać poszczególne rzeczy. To zamiatanie pod dywan, a nie porządki. Znam to doskonale. Po wielu procesach oczyszczania przestrzeni, w których uczestniczyłam, dotyczących zarówno mnie, jak i osób, którym pomagałam, doszłam do wniosku, że ludzie dzielą się z grubsza na dwa typy.

Do pierwszego należą osoby mające dużą łatwość w podejmowaniu decyzji, które rzeczy są już niepotrzebne, ale trudno im się tych przedmiotów faktycznie pozbyć ze swojego otoczenia.

Do drugiego można zaklasyfikować osoby, którym decyzja o rozstaniu się z daną rzeczą przychodzi z trudem, ale gdy już zapadnie, jest realizowana z żelazną konsekwencją.

Należę do pierwszego typu, więc dużo łatwiej mi się z nim identyfikować, o wiele klarowniej widzę też plusy tego podejścia i związane z nim zagrożenia. Wśród zalet zdecydowanie przeważa fakt, że nie jestem sentymentalna. Mało jest rzeczy, które traktuję z autentycznym sentymentem, na tyle silnym, by trudno mi się było z nimi rozstać – mogłabym je policzyć dosłownie na palcach jednej ręki. Problem sprawia mi natomiast sprawne doprowadzanie procesu oczyszczania do samego końca. Z tego powodu zaadaptowałam, głównie na swoje potrzeby, pojęcie czyśćca. To takie miejsce (w przedpokoju, przy wejściu), gdzie składuję rzeczy, które mają opuścić moją przestrzeń. Stoją one w głównym ciągu komunikacyjnym mieszkania i za każdym razem, gdy próbuję przejść z przedpokoju do kuchni, w zasadzie się o nie potykam. Widzę je również, gdy siedzę na kanapie. Drażnią mnie swoją obecnością, więc jest to w moim wypadku jedyny w miarę działający sposób mobilizowania się do definitywnego pozbycia się ich z mojego domu.

To, co jest moją słabością, stanowi duży atut osób, które zaliczam do drugiego typu. Zazdroszczę im ogromnie samozaparcia i naturalnej umiejętności doprowadzania procesu oczyszczania do końca. Jednakże i te osoby mają swój słaby punkt. Najczęściej jest nim właśnie skłonność do sentymentu. W ich przypadku problem stanowi samo podjęcie decyzji, która rzecz jest już faktycznie zbędna.

Ciekawa jestem, czy identyfikujesz się bardziej z typem pierwszym czy drugim. Określenie swojej przynależności do jednego z nich ma znaczenie praktyczne. Wiem, że w walce z nadmiarem bardzo pomaga świadomość, przede wszystkim

świadomość własnych reakcji, ograniczeń i mechanizmów postępowania. Zrozumienie, w którym miejscu jest zlokalizowa-
ny nasz słaby punkt, to pierwszy krok do skutecznego działania.

WYRZUCIĆ CZY ODDAĆ?

Gdy pierwszy raz oddałam niepotrzebne rzeczy komuś, dla kogo
okazały się wybawieniem w trudnej sytuacji, poczułam takie zadowolenie i radość, które nawet trudno opisać. Cieszyłam się jak
dziecko, że mogę komuś pomóc, że to, co u mnie zbędne, stało się
potrzebne gdzie indziej. Wszelkie wyrzuty sumienia z powodu
źle wydanych pieniędzy i nieprzemyślanych zakupów zniknęły
jak ręką odjął. Wierz mi, gdy raz doznasz tego uczucia, zapra-
gniesz doświadczać go częściej. Może się ono jednak okazać bardzo zwodnicze.

> *Najważniejszym i najczęściej najtrudniejszym
> momentem jest zawsze sam koniec. Przedmiotów,
> które zdecydujesz się usunąć, należy się pozbyć
> jak najszybciej i zrobić to raz na zawsze.*

Po pierwsze, nie wszystkie rzeczy nadają się do oddania. Zanim zdecydujesz się na przykład zawieźć jakiś przedmiot do domu dziecka, hospicjum czy domu samotnej matki, odpowiedz
sobie na pytania: „Czy mogłabym tę rzecz z czystym sumieniem dać swojej mamie, siostrze, bratu lub dziadkowi? Czy nie
jest ona nazbyt zniszczona, wysłużona, niezdatna do użytku?".
Nie zmuszaj osób pracujących w placówkach opiekuńczych do

ponownej segregacji Twoich rzeczy. Jeśli jakiś przedmiot jest zniszczony – wyrzuć go. Jeśli nie zrobisz tego sama, przeniesiesz ten obowiązek i jego ewentualny koszt na obdarowanego. A to, moim zdaniem, jest nieuczciwe. Nie pozwól, by opisany tu syndrom św. Mikołaja zamydlił Ci oczy i nie pozwolił właściwie ocenić rzeczywistej wartości danej rzeczy. Czasami naprawdę nie ma innego wyjścia i trzeba ją wyrzucić.

Przyznaję, że początkowo miałam ogromny opór przed wyrzucaniem. Za moim domem, w środku miasta znajdują się rozległe chaszcze, teren, który w dużej mierze stanowi pozostałość po ogródkach działkowych. Niestety, często służy jako... śmietnik. Czego ja tam nie widziałam podczas spacerów z psem... Stare fotele, materace, plastik, szklane butelki, gruz, śmieci organiczne i nieorganiczne. Zapewniam Cię, że jest to naprawdę przerażający widok. Dopiero pod wpływem tego miejsca uświadomiłam sobie, że jako społeczeństwo produkujemy tak dużo śmieci, iż wyrzucenie kolejnych wzmogłoby tylko moje wyrzuty sumienia.

Nastał więc taki czas w moim życiu, gdy bardzo trudno było mi się uporać z pewnymi rzeczami, których nie chciałam wyrzucić i których nikt nie chciał ode mnie kupić lub wziąć. Ba, nawet wstyd byłoby mi je komukolwiek zaoferować. Wiedziałam, że ich miejsce jest w śmietniku, ale odwlekałam moment ich wyrzucenia tak długo, jak tylko było to możliwe. Wpadłam też w kolejną myślową pułapkę – możliwości ich ponownego wykorzystania.

Marta, moja koleżanka z pracy, w trakcie czystek w swoim mieszkaniu znalazła dwie stare wyjściowe sukienki. Niestety, zupełnie nie nadawały się do noszenia, ale z uwagi na zdobną tkaninę i wykończenie Marcie szkoda je było wyrzucić. Wymyśliła, że wykorzysta je jako materiał na karnawałowe przebrania dla swoich małych dzieci. Mama Marty jest krawcową, która doskonale wie, w jaki sposób ze starych szmat zrobić nowe cudeńka.

W większości wypadków nigdy powtórnie nie
wykorzystujemy zostawionych w tym celu rzeczy.

I tak sukienki powędrowały z powrotem na półkę w szafie. Kiedy nastał czas karnawału, ostatnią rzeczą, na jaką Marta miała chęć i siłę, było zawiezienie starych sukienek mamie (mieszkającej kilkadziesiąt kilometrów dalej) w celu ich przerobienia. Z powodu natłoku codziennych obowiązków, zadań i planów Marta postanowiła kupić lub pożyczyć gotowe karnawałowe przebrania dla swoich pociech. I tak to się właśnie odbywa. No, może nie zawsze, ale zaryzykuję twierdzenie, że w większości wypadków nigdy powtórnie nie wykorzystujemy zostawionych w tym celu rzeczy.

Przypomnij sobie test użyteczności, o którym wspominałam w poprzednim rozdziale. Dany przedmiot może mieć potencjał używania, ale czy to sprawi, że rzeczywiście będziesz z niego korzystać? Cóż, różnie z tym bywa, prawda?

Uporanie się z nadmiarowymi przedmiotami
poprzez podrzucenie ich komuś nie jest
dobrym rozwiązaniem.

Teoretycznie wiele rzeczy jesteśmy w stanie ponownie zagospodarować. Przy odrobinie wyobraźni, wysiłku i pomocy innych osób można dokonać cudów. Gazety i internet pełne są portali, blogów i pojedynczych artykułów traktujących o upcyklingu i recyklingu. Czasami są to proste, ale genialne rozwiązania, pozwalające na powtórne użycie przedmiotów skazanych na wyrzucenie. Nie zrozum mnie źle. Uważam, że przerabianie rzeczy to wspaniała sprawa i należy robić to tak często i tak długo, jak to tylko możliwe. Nie pozwól jednak złapać się w pułapkę półek zapełnionych przedmiotami przeznaczonymi do recyklingu. Zastanów się, i bądź przy tym szczera, czy masz pomysł na ponowne wykorzystanie jakiejś rzeczy i czy faktycznie będziesz miała energię i czas, żeby go zrealizować. Jeśli jesteś twórczą osobą, masz zapewne milion koncepcji na to, jak wykorzystać to, co pozornie już niepotrzebne. Też tak mam – patrzę na stary sweter i widzę śliczną poszewkę na poduszkę, zobaczę odłamaną gałąź w lesie i wyobrażam sobie wieszak na ubrania. Jednak czy to, co wymyśliłaś, przedmiot, który ma powstać po przerobieniu, jest Ci faktycznie potrzebny? W większości wypadków moja odpowiedź brzmi „nie". Nie potrzebuję kolejnej poduszki, nie potrzebuję wieszaka. Te rzeczy nadal będą w moim domu zbędne, przybiorą jedynie nową, śliczną postać.

WYRZUCANIE PRZEZ PODRZUCANIE

Gdy zapytam kogoś, czy wyobraża sobie wykupienie dodatkowej przestrzeni na magazynowanie należących do niego przedmiotów, z reguły kategorycznie zaprzecza. Jakże to, płacić za składowanie? Szkoda pieniędzy. Jednocześnie zdumiewa mnie, jak wiele osób nie widzi zupełnie nic złego w podrzucaniu swoich rzeczy rodzinie, znajomym do piwnicy, przyjaciołom na działkę czy rodzicom do domu. I to wszystko „na chwilę" lub „na czas remontu". Moim ulubionym tłumaczeniem jest: „Wam się bardziej przyda". Nie jest jeszcze tak źle, gdy podrzucanie następuje za obopólną zgodą. Gorzej, gdy jedna ze stron ma już dość tego składowania na dziko, na przykład mama chcąca w pokoju-magazynie urządzić sobie pracownię lub znajomi mający dość Twoich nart i zimowych opon w swoim garażu. Konflikt gotowy.

Sprawdziłam, ile kosztuje usługa składowania w Warszawie. Mały magazyn, do którego zmieszczą się przykładowo dwa naprawdę duże regały wypełnione książkami, to koszt 150 złotych miesięcznie. Do tego samego pomieszczenia weszłyby: wózek dziecięcy, zestaw opon samochodowych i kilka pokaźnych worków z zimowymi ubraniami. To właśnie te przedmioty są najczęściej podrzucane. Zastanów się, czy chętnie płaciłabyś rodzicom, przyjaciołom i znajomym, gdyby nagle zechcieli wystawić rachunek za przechowywanie Twoich rzeczy.

Uporanie się z nadmiarowymi przedmiotami poprzez podrzucenie ich komuś nie jest dobrym rozwiązaniem. Czy zapłaciłabyś za taką usługę, gdybyś nie miała innego wyboru? *Weź wreszcie pełną odpowiedzialność za rzeczy, które posiadasz – nie składuj ich u innych, gdy porządkujesz swoją przestrzeń.* To nieuczciwe wobec osób, które obarczasz tymi przedmiotami. Przede wszystkim jednak oszukujesz w ten sposób samą siebie. Zostawione u kogoś przedmioty nie znikają w tajemniczy sposób. Odraczasz jedynie konieczność zajęcia się nimi.

WYRZUTY SUMIENIA

Podczas oczyszczania przestrzeni wokół siebie doświadczysz całej gamy emocji. Pojawią się również wyrzuty sumienia, to nieuniknione. Możesz je mieć, gdy tylko sobie uświadomisz, że wydałaś tak dużo pieniędzy na tyle zupełnie niepotrzebnych przedmiotów. Możesz też poczuć dyskomfort, gdy zrozumiesz, że nie chcesz dłużej trzymać rzeczy, które od kogoś otrzymałaś. Mam tu na myśli głównie nietrafione prezenty.

Przede wszystkim uświadom sobie, że te emocje to coś zupełnie normalnego. Wszyscy je odczuwamy, choć każdy ma inną wrażliwość i doznaje ich z innym natężeniem. To, że się u Ciebie pojawią, nie będzie oznaczało, że jesteś złym człowiekiem. *Naprawdę nie musisz się biczować i cierpieć tylko dlatego, że kiedyś popełniłaś zakupowe błędy albo nie podoba Ci się zestaw złoconych kieliszków od teściowej. Ktoś zmarnował pieniądze, to prawda, ale to nie koniec świata.* Odetnij się od tego, co było – nie pozwól sobie na dalsze marnowanie czasu i energii. Wykorzystaj je lepiej na rzecz przyszłości i zmian, które planujesz wprowadzić. Działaj z myślą o przyszłości, nie przeszłości. Pozwolenie, by bezużyteczne rzeczy leżały na Twoich półkach, to dopiero prawdziwe marnotrawstwo! Sprzedaj tak dużo zbędnych przedmiotów, jak tylko się da, za taką cenę, jaką uda Ci się uzyskać. Pamiętaj jedynie o tym, co pisałam wcześniej (w rozdziale *Pieniądze*). Szansa, że sprzedasz wybrane rzeczy za cenę, którą sama zapłaciłaś, jest nikła. Trudno. Jest to fakt, z którym zwyczajnie musisz się pogodzić. Niech nie stanie się to wymówką do zaprzestania działań.

To, czego nie uda Ci się sprzedać, spróbuj zagospodarować, ale nie daj się złapać w pułapkę ponownego wykorzystywania na siłę. Resztę oddaj lub wyrzuć.

JAK MINIMALISTA Z CHOMIKIEM

Gdy już rozpoczniesz proces porządkowania, będziesz miała ogromną pokusę, żeby wciągnąć w niego całą rodzinę. Zdecydowanie jestem za – zaangażowanie kilku osób oznacza łatwiejsze przejście przez kryzysy, rozłożenie obowiązków, wzajemne motywowanie się i szybsze uporanie się z nadmiarem. Co jednak zrobić, jeśli rodzina nie chce w tym uczestniczyć? Czy da się nawrócić kogoś na minimalizm? Sprawić, żeby przestał chomikować śmieci na półkach, wyrzucił „durnostojki" i „odklamocił" swoje otoczenie? Może zastosować przymus? Zagrozić kijem lub ewentualnie zanęcić marchewką? Jak włączyć najbliższych w wielkie porządki? Jak żyć, żeby się nie pozabijać?

Do skorzystania z narzędzia, jakim jest minimalizm, nie da się kogoś namówić lub zmusić.

Dosłownie kilka dni temu MM poprosił mnie o pomoc w uprzątnięciu jego ubrań. Czy muszę opisywać mój zachwyt? Koniec ze stertami ciuchów zalegającymi w szafie, rzucanymi do prania i piętrzącymi się na krześle. Jakiś czas temu koleżanka zwróciła się do mnie o wsparcie w odgruzowaniu szafy. Był czas, gdy moja mama regularnie informowała mnie o postępach w uwalnianiu przestrzeni w moim rodzinnym domu, jakby zdawała relację z pola bitwy. Te wszystkie doświadczenia mówią mi bardzo wyraźnie, że do skorzystania z narzędzia, jakim jest minimalizm, nie da się kogoś namówić lub zmusić. Również ja nie mam tak złych zamiarów wobec Ciebie. Nie czuję się misjonarką minimalizmu i nie chcę nią być.

Jak to zwykle bywa, najskuteczniejsza droga jest również tą najtrudniejszą, wymagającą największej cierpliwości i konsekwencji. Mnie zajęła ona lata. Był to czas mówienia i pisania o tym, jak świetnie i wygodnie jest mieć mniej, oraz bycia przykładem dla innych. To podejście, choć trudne, czasochłonne i nie gwarantujące sukcesu, zakłada również duży szacunek do drugiego człowieka, tego, który żyje obok mnie. Do jego przyzwyczajeń i upodobań, również w kontekście gromadzenia rzeczy, zwłaszcza, że te nawyki mogą być zupełnie różne. *Osoba, która ma kłopot z nadmiarem rzeczy, musi go sama dostrzec. Sama musi zechcieć zmiany.* Jednocześnie jest mało prawdopodobne, że ukochany mąż, który z błyskiem w oku kupuje kolejny sprzęt sportowy, stanie się nagle ascetą żyjącym z jedną parą skarpetek. Nie o to jednak chodzi. Wystarczy, gdy zrozumie, że jeden rower zamiast pięciu to dość i że nie potrzebuje kupować co sezon nowych akcesoriów, które po miesiącu i tak powędrują do szafy lub piwnicy. Potrzebuję mało, ale nie chcę i nie zamierzam narzucać tego moim najbliższym. Zbyt mocno ich kocham. Nawet Leo Babauta, wspomniany już przeze mnie guru minimalizmu, do setki posiadanych przez siebie rzeczy nie wlicza tych, z których korzysta wspólnie z żoną i dziećmi.

Oczywiście, zdaję sobie sprawę, że w wypadku dość skrajnych zachowań najbliższych, przejawiających nawet momentami cechy charakterystyczne dla toksycznego zbieractwa, sytuacja będzie odrobinę inna. Zachowując dużą dozę delikatności, podpowiem kilka skutecznych metod, które mogą okazać się przydatne dla osób żyjących z typowym chomikiem.

Zakładam, że jeśli jesteś osobą, która boryka się z problemem posiadania zbieracza w swojej rodzinie, przeprowadziłaś z nim już niejedną rozmowę na ten temat. Wiem, że próby uświadamiania mu zaistniałej sytuacji mogą niestety nie przynosić rezultatów, dlatego też podsunę Ci kilka innych rozwiązań.

——— Strefa odleżenia

Pierwszy sposób to wyznaczenie umownej strefy w mieszkaniu, która będzie służyła do tymczasowego przechowywania rupieci (według Ciebie), a według zbieracza – niezwykle przydatnych skarbów. Wybierz miejsce, które znajduje się na widoku i którego zagracenie będzie Ci jak najmniej przeszkadzać w codziennym życiu – na przykład balkon. Obawiam się, że piwnica czy strych nie spełniłyby tej funkcji, a pozostawione przedmioty ugrzęzłyby tam na zawsze. Niech do tej strefy trafią pudełka po butach, nienoszone ubrania i zepsuta elektronika. Jest szansa, że chomikowi wystarczy, że te rzeczy odleżą swoje, i za jakiś czas, gdy wykażesz brak jakiejkolwiek ich przydatności, pozwoli je wyrzucić.

——————— Syndrom św. Mikołaja

Możesz wpaść w pułapkę tego syndromu w trakcie minimalizowania stanu posiadania, ale jeśli żyjesz ze zbieraczem, spróbuj go wykorzystać na swoją korzyść. Jest nam dużo, dużo łatwiej pozbywać się rzeczy, gdy wiemy, że trafią w dobre, kochające i wdzięczne ręce. Twój mąż kolekcjonuje sportowe gadżety, które już się nigdzie nie mieszczą, ale nadal są sprawne? Spróbuj go namówić, żeby część kolekcji przekazał na rzecz dziecięcego koła sportowego, gdzie te rzeczy będą stale używane. Podobnie można postąpić właściwie z każdym zbędnym przedmiotem. Oddać plastikowe nakrętki na zbiórkę na rzecz osób niepełnosprawnych. Sprzedać makulaturę, a dochód przeznaczyć na schronisko dla zwierząt. Przekazać zabawki domom dziecka lub domom samotnej matki. Oczywiście, znalezienie osoby, której taką rzecz można przekazać, lub miejsca, w którym można ją zostawić, wymaga czasu i wysiłku. Jednakże ten drobny podstęp to doskonały sposób, by nauczyć chomika, że rzeczy są po to, aby ich używać. Wdzięczność obdarowanej osoby może stać się dla niego doskonałą motywacją do dalszych zmian.

────── Podstęp

Ten sposób nie bez przyczyny umieściłam na samym końcu. Jest to metoda, której do końca nie czuję i nie pochwalam, ale z poczucia obowiązku wobec Czytelnika chcę o niej wspomnieć. Wiem bowiem, że w niektórych wypadkach jest niezwykle skuteczna. Polega na pozbywaniu się rzeczy chomika podstępem. Chomiki są przebiegłe, ale mają też swoje słabe punkty. Niektóre doskonale znają lokalizację *każdej* zebranej rzeczy i w takim przypadku podstępem niewiele zdziałasz. Jeśli natomiast trafił Ci się roztargniony osobnik, możesz spróbować zabierać (wyrzucać, sprzedawać lub oddawać) pojedyncze rzeczy z jego norki, licząc, że nie zauważy tego braku. Jak wspomniałam na początku, nie stosuję tej metody, ponieważ moim zdaniem w zbyt dużej mierze ingeruje w cudzą niezależność, ale jestem sobie w stanie wyobrazić sytuację, w której może nie być innego wyboru.

KRYZYS I KONSEKWENCJA

Porządki i pozbywanie się przedmiotów przypominają pisanie książki. Zanim zaczniesz, wyobrażasz sobie leniwe, niedzielne popołudnie; z filiżanką parującej kawy piszesz przy biurku z widokiem na Manhattan, a wyjątkowe słowa same spływają poprzez palce na klawiaturę. W rzeczywistości pisanie to zwykle pot, łzy i walka o każde słowo, każde zdanie, które jakby na złość nie do końca wyrażają myśli i intencje, jakie autor chce przekazać czytelnikowi. Tak samo wygląda próba uporania się z niechcianymi już rzeczami. Jeśli w Twojej głowie rozgościła się wizja, że z herbatą lub lampką wina otwierasz pudełko ze zbędnymi przedmiotami, a potem wśród śmiechu bądź łez żegnasz się z rzeczami, które wniosły kiedyś tyle radości do Twojego życia, to wolę od razu brutalnie rozwiać to wyobrażenie, zanim zderzenie z rzeczywistością zupełnie pozbawi Cię motywacji.

Im częściej nie kupujesz, tym częściej nie kupujesz. Im mniej masz, tym mniej chcesz.

Oczyszczanie przestrzeni wokół zajmuje niekiedy wyjątkowo dużo czasu. Ja wielokrotnie przechodziłam kryzys. Czułam wewnątrz ogromną potrzebę uporania się z bałaganem, ale przytłaczał mnie on swoim ogromem i pojawiały się myśli, żeby dać sobie z tym spokój. Uprzedzam Cię lojalnie, kryzys się pojawi, i to nie jeden. Proces oczyszczania bywa momentami trudny, ale bez tej pracy nie będzie ani sukcesu, ani satysfakcji. Nadejdzie taki moment, gdy spiętrzą się wymiecione z zakamarków mieszkania lub domu przedmioty oznaczone jako niepotrzebne, a wciąż nieusunięte, bo czekają, aż je ktoś odbierze, lub zostały wystawione na sprzedaż, ale nie znalazły jeszcze nabywcy. Na to nałoży się zwykły, codzienny nieład – brudne naczynia, zabłocona podłoga, kurz i wylana kawa. W takich momentach łatwo się poddać.

Aż kusi, żeby zapytać z żalem: „Po co to wszystko?".

Łatwo się pisze lub czyta o chwilach słabości czy zwątpienia w momencie, gdy się tego nie doświadcza, prawda? Potem, naturalnie, poprzeczka idzie w górę. Wtedy właśnie zachodzi największa potrzeba powtórzenia sobie, po co to wszystko. Ja w takich chwilach wracam myślami do źródeł, a Ty przekartkuj tę książkę jeszcze raz, sięgnij do rozdziału pod tytułem *Świadomość* i przypomnij sobie, o czym tam pisałam i co sobie obiecałaś. Mam nadzieję, że będzie Ci choć odrobinę łatwiej z tymi wszystkimi informacjami, które zdążyłam dotychczas przekazać.

Jeśli nie wiesz, czy masz siłę zacząć – przypomnij sobie, jaki jest Twój cel, który określiłaś w rozdziale *Świadomość*; nie wiesz, co jest zbędne – wróć do tekstów i ćwiczeń z rozdziału *Liczenie* i... licz; natrafiłaś na przedmiot, który wzbudził w Tobie sentyment – przeczytaj ponownie rozdział *Sentyment* i spróbuj odkryć rzeczywiste emocje i przekonania chowające się za tą rzeczą.

W rogu mojej kuchni, za blatem stał worek z psią karmą. Niezbędny, gdy się ma psa, rzecz jasna. Od czasu do czasu korciło mnie straszliwie, żeby kupić piękny, wiklinowy kosz, w który mogłabym włożyć tę mało estetyczną torbę. Biłam się z myślami: „Potrzebny czy nie?". Tak banalna sprawa, a zajmowała mi głowę. W końcu nie dałam się, sprzątnęłam szafkę obok i wygospodarowałam miejsce dla karmy. Minimalizm versus konsumpcjonizm jeden do zera.

Zostałam ostatnio zapytana, czy minimalizm ma swoje przykazania. Taki spis zasad i reguł, których przestrzeganie sprawi, że życie natychmiast stanie się prostsze. Z przykrością stwierdzam, że tak banalna droga na skróty nie istnieje. *Minimalizm nie jest dla mnie ani religią, ani filozofią, nie ma więc żadnego spisu przykazań. No, może poza jednym. Bądź konsekwentna. W rzeczywistości osiągnięcie sukcesu oznacza najczęściej po prostu doprowadzenie sprawy do końca.* Być może powyższy przykład z karmą wydaje Ci się zbyt przyziemny, ale tak właśnie wygląda rzeczywistość osoby, która weszła na ścieżkę minimalizmu. To ciągłe podejmowanie pozornie drobnych i nieistotnych decyzji, od których zależy, czy powstrzymasz nadmiar przedmiotów wdzierających się wciąż do Twojego życia, czy nie. Na tym polegają codzienne wybory minimalisty.

Możesz albo gromadzić rzeczy z nadzieją,
że wreszcie uzbierasz te „potrzebne",
albo ograniczać ich zasób z przekonaniem,
że masz już wszystko, co rzeczywiście niezbędne.

Podczas ograniczania liczby posiadanych rzeczy konsekwencja jest szczególnie ważna w dwóch momentach. Przede wszystkim przydaje się na etapie uprzątania przestrzeni. Bez niej Twoje działania będą połowicznie udane lub zupełnie nieudane. Ponadto, nawet jak już zakończysz proces oczyszczania mieszkania, domu czy biura ze zbędnych rzeczy, konsekwencja nadal będzie Twoim sprzymierzeńcem. Nie pozwól, aby miejsce, które odzyskałaś, ponownie zniknęło zalane falą nowych przedmiotów. Nie wystarczy pozbyć się zbędnych rzeczy, trzeba również postawić tamę chroniącą przed napływem kolejnych. Konsekwencja to Twoja tajna broń, która sprawi, że raz włożony w porządkowanie wysiłek nie pójdzie na marne.

Z tego powodu tak ważny jest, choćby czasowy, zakupowy detoks. Wiąże się on z codziennym konsekwentnym odraczaniem natychmiastowej gratyfikacji w postaci wyprawy do sklepu oraz z nieustannym zadawaniem sobie pytań: „Czy to, co znajduje się na liście zakupów, jest koniecznością?", „Czy możliwe jest obycie się bez tej rzeczy?", „Czy mam gdzie przechowywać ten przedmiot?". Początkowo będzie się to wydawać sztuczne i niepotrzebne, jednak po pewnym czasie wejdzie Ci w nawyk i zacznie odbywać się podświadomie. Dlaczego jest to tak ważne? Ponieważ bezmyślne nabycie nowego przedmiotu oznacza podwójny wysiłek. Po pierwsze, nowa rzecz kosztuje pewną sumę pieniędzy, na które, rzecz oczywista, musiałaś zapracować.

Po drugie, *pozbycie się kupionych pochopnie przedmiotów wymaga o wiele więcej wysiłku niż wyjęcie portfela i wydanie ciężko zarobionej gotówki.* Wielokrotnie się przekonałam, że pozbycie się jakiejś rzeczy z domu zużywa ogromne pokłady energii, pracy i cierpliwości. Oprócz czasu poświęconego na przygotowanie przedmiotu do sprzedania, oddania lub wyrzucenia musimy uwzględnić jeszcze jeden koszt – psychiczny trud pożegnania się z nim. A gdyby tak wcale go nie kupować? Lub pójść o krok dalej i dla odmiany zamiast coś nabyć, pozbyć się jakiejś rzeczy?

Jeśli umiesz zachować dyscyplinę, wszystko Ci się uda. Ćwicz ją. Amerykański psycholog eksperymentalny Roy Baumeister[34] jako pierwszy wprowadził do świata nauki metaforę mięśnia woli. Na podstawie badań i eksperymentów dowodzi, iż silna wola działa podobnie jak zwykły mięsień – może być kształtowana, wzmacniana i powiększana poprzez regularne ćwiczenia. Im częściej z niej korzystasz, przykładowo poprzez odmawianie sobie czegoś, tym bardziej ją wzmacniasz. Dlatego też jeśli konsekwentnie przestrzegasz zasad minimalizmu, coraz łatwiej przychodzi Ci pozbywanie się niepotrzebnych przedmiotów i powstrzymanie się przed nabyciem kolejnych. Świadomość sprawia, że coraz trudniej jest zracjonalizować zbędny zakup. Krótko mówiąc, im częściej nie kupujesz, tym częściej nie kupujesz. Im mniej masz, tym mniej chcesz.

---

34 Roy Baumeister razem z dziennikarzem naukowym „New York Timesa" Johnem Tierneyem napisali książkę, w której zrewolucjonizowali sposób rozumienia zjawiska samokontroli. Patrz: *Siła woli. Odkryjmy na nowo to, co w człowieku najpotężniejsze*, tłum. Piotr Budkiewicz, Wydawnictwo Media Rodzina, Poznań 2013.

POŻYCZANIE

Chciałabym poruszyć jeszcze jedną kwestię. Pamiętam, jak w dzieciństwie moja babcia powtarzała: „Kto ze sobą nosi, ten się nie prosi". Pomimo całej miłości do niej uważam, że to w ogóle nie ma sensu, nie tylko w kontekście pakowania walizek na wakacje. Gdy masz mniej, nie bój się prosić i pożyczać, również na co dzień. Po co kupować korkociąg, jeśli wino pijemy sporadycznie i możemy pożyczyć ten przyrząd od sąsiadów? Przeprowadziłam kiedyś blogowe badanie opinii publicznej – zapytałam moje Czytelniczki, jakiego rodzaju przedmiotów nie chciałyby komuś pożyczyć, ale też same nie byłyby w stanie o nie poprosić. Odpowiedzi obejmowały cały wachlarz możliwości: od biżuterii i kosmetyków po samochód i mieszkanie. Można było również zauważyć, że podzielenie się rzeczami, których część osób nigdy nie zdołałaby użyczyć, dla innych nie stanowiłoby kłopotu, dotyczyło to na przykład ubrań i książek. Prowadzi to do wniosku, że kwestia wewnętrznego przyzwolenia na pożyczanie jest w dużym stopniu indywidualna.

Może spróbujesz zbadać swoje granice pod tym względem? Kolejnym razem zamiast wysyłać męża do sklepu po mąkę, przełam się i pożycz ją od sąsiada. Może to być ciekawe doświadczenie, zwłaszcza jeśli nigdy tego nie robiłaś. Zamiast z obłędem w oku kupować w ostatniej chwili biżuterię, która pasuje do sukienki na firmowe przyjęcie, ale której zapewne już nigdy więcej nie włożysz, zapytaj koleżanki, może zgodzi się pożyczyć swoją? Pożyczanie, naturalnie w granicach rozsądku, to doskonały sposób na uniknięcie zbędnych zakupów, a tym samym ponownego zagracenia przestrzeni.

Możesz dużo czytać o minimalizmie i dużo rozmyślać na temat własnego podejścia do posiadania, ale w końcu przyjdzie ten moment, gdy trzeba będzie zabrać się do pracy. Do fizycznego oczyszczania przestrzeni. To jedyny sposób, żeby uporać się z przytłaczającym nadmiarem. Możesz albo gromadzić rzeczy z nadzieją, że wreszcie uzbierasz te „potrzebne", albo ograniczać ich zasób z przekonaniem, że masz już wszystko, co rzeczywiście niezbędne.

ROZDZIAŁ 8

Wirtualnie

Podobno załapuję się jeszcze do pokolenia tak zwanych millenialsów[35]. Należę do tego rocznika, który doskonale funkcjonuje w świecie cyfrowym, a jednocześnie pamięta świat analogowy, w którym jedyny telefon stał na komodzie w dużym pokoju, a spotkania nie dało się przełożyć SMS-em wysłanym w ostatniej chwili. Kiedy uświadomiłam sobie, jak ogromny skok technologiczny nastąpił w Polsce w ciągu ostatnich dwudziestu lat, to przestałam się dziwić, dlaczego czasami czujemy się zagubieni w tej cyfrowej rzeczywistości. I mam tu na myśli siebie i moje pokolenie, a nie moich rodziców czy dziadków.

Moje biuro to laptop. Jeśli napiszę, że w zupełności zgadzam się z tym stwierdzeniem, nie skłamię. Co więcej, jest to stan rzeczy ogromnie przeze mnie pożądany, ponieważ daje mi poczucie wolności. Wolności pracy w każdym miejscu, w którym postawię laptop i przed nim usiądę. Nie należy jednak zapominać, że świat wirtualny istnieje obok świata realnego i może być równie zabałaganiony. Twoje wirtualne życie, pewnie podobnie jak moje, składa się z różnych sfer, a w każdej z nich używasz innych narzędzi. Najprawdopodobniej masz w domu telewizor lub nawet kilka. Korzystasz równolegle z dwóch komputerów, jednego

---

35 Mianem millenialsów, zwanych także pokoleniem Y, określa się osoby, które urodziły się pomiędzy 1980 a 2000 rokiem, a czas ich dorastania przypadł na okres ewoluowania świata analogowego w cyfrowy.

do celów prywatnych, drugiego – służbowych; na obu przechowujesz pliki oraz foldery z różną zawartością: zdjęciami, filmami, dokumentami domowymi i służbowymi, e-bookami itp. Do tego korzystasz na co dzień ze smartfona lub tabletu zawierających pokaźną liczbę aplikacji i kontaktów. Istniejesz zapewne w mediach społecznościowych i masz tam utworzony profil prywatny lub zawodowy. A może oba? Prawdopodobnie masz również zapisaną w pamięci Twojej wyszukiwarki listę stron internetowych, blogów i portali, które najczęściej odwiedzasz. Nie uważasz, że tutaj również przydałyby się solidne porządki?

DIETA INFORMACYJNA

W moim domu rodzinnym zawsze oglądało się *Wiadomości, Fakty* albo *Wydarzenia*, jakkolwiek by się te programy informacyjne nazywały. Najczęściej też leciały one jeden po drugim. Tak było od zawsze i szczerze mówiąc, długo nie widziałam w tym żadnego problemu i nie czułam potrzeby, żeby to zmienić.

Świat wirtualny istnieje obok świata realnego i może być równie zabałaganiony.

Teraz, gdy piszę te słowa, mijają już trzy lata, od kiedy przeszłam na tak zwaną dietę informacyjną. Postanowiłam świadomie potraktować to, co wcześniej przyjmowałam odruchowo. Dlaczego? Zapewne dokładnie z tych samych powodów, co inni. Miałam dość ciągłego zarzucania mnie informacjami o politycznych układach, tragediach, wybuchach i innych głupstwach, bez których spokojnie mogę żyć. Czy ominęło mnie coś istotnego? Może. Czy jakość mojego życia wzrosła? Z pewnością. Zrozum, że naprawdę możesz nie oglądać tych wszystkich tragedii i nie słuchać sztucznie rozdmuchanych informacji o przemocy, nienawiści i nieszczęściach. Ulżyło Ci? Mnie tak. Ogromnie.

Gdy opowiadam komuś o tym, czym jest dla mnie dieta informacyjna, niezmiennie pojawiają się dwa pytania: „Czy masz w domu telewizor?" oraz „A co z internetem?". Zapewne podobne wątpliwości pojawiły się również w Twojej głowie. Tak, mam w domu telewizor – jeden. Oczywiście, wielokrotnie myślałam o pozbyciu się go, był nawet taki moment, gdy byłam skłonna stanąć do walki z MM i przeforsować życie bez telewizji. Po dłuższym zastanowieniu stwierdziłam jednak, że to nie telewizor jest problemem, ale bezmyślne korzystanie z niego. Jak często po powrocie do domu od razu go włączasz, żeby coś „gadało"?

Niesamowicie fascynuje mnie ten zwyczaj odruchowego wciśnięcia guzika pilota, zanim jeszcze zdążymy spokojnie się rozebrać i przywitać z domownikami. Jest to doskonały przykład na to, w jaki sposób niezauważenie tworzą się nawyki. Nasz mózg nauczył się kojarzyć oglądanie telewizji z wypoczynkiem i niewykluczone, że początkowo tak właśnie było. Taka korelacja tworzy się niezwykle szybko, ale też, już po ukształtowaniu nawyku, zwykle ulega dysfunkcji. Bodziec (naciśnięcie pilota), który wyzwalał przyjemność (relaks), już jej nie inicjuje, ale Ty tego nie dostrzegasz. Włączasz telewizor, bo nadal oczekujesz odprężenia, ono jednak nie nadchodzi. Zastanów się, co Ci daje ten nawyk? Czy oglądanie codziennych wiadomości rzeczywiście wciąż Cię relaksuje?

CIĘŻAR BYCIA NA BIEŻĄCO

Potrzeba bycia na bieżąco wtłaczana jest nam już od czasów szkolnych. W liceum moja nauczycielka języka polskiego, prawdziwa kinomaniaczka, premiowała każdego, kto oglądał Noc Oscarową na żywo. Był to najłatwiejszy sposób, żeby otrzymać dodatkowe plusy za aktywność. Ja, humanistyczna dusza, ponoć ulubienica polonistki, zawsze obrywałam w ten pooscarowy poranek. Nigdy nie zdecydowałam się zarwać nocy, żeby obejrzeć to męczące widowisko, choć w życiu nie przyznałabym się wtedy, że zwyczajnie wolałam się wyspać.

Kolejny przykład. Pamiętasz może lekcje WOS-u (wiedzy o społeczeństwie)? W mojej szkole dostawało się na tym przedmiocie punkty za aktywność, jeśli potrafiło się wyrecytować najważniejszą wiadomość dnia usłyszaną w dzienniku. Doskonale rozumiem i popieram cel, który temu przyświecał, czyli kształtowanie świadomego młodego obywatela i rozbudzanie w nim poczucia odpowiedzialności za losy kraju. Niemniej jednak takie narzędzie w większości wypadków jest stosowane bezrefleksyjnie i po linii najmniejszego oporu, zwykle wystarczy obejrzenie wieczornego serwisu informacyjnego. Czy w ten sposób kształtujemy postawę obywatelską uczniów? Śmiem wątpić. Jeśli nie pokażemy młodzieży, w jaki sposób wybierać ważne wiadomości z natłoku informacji oraz jak je interpretować, nie będzie ona w stanie nauczyć się mądrego korzystania z nich, nie rozbudzi się w niej ciekawość świata, nie będzie zmuszona do szukania źródeł.

Pod jednym z blogowych tekstów o diecie informacyjnej wiele Czytelniczek napisało, że opisany obowiązek szkolny był dla nich dramatem i wspominają go z dużą niechęcią. Jako wrażliwe dzieci czuły się zwyczajnie przytłoczone ilością informacji na temat tragedii, kłótni, wybuchów, przestępstw i śmierci. Trudno było im się do tego przyznać przed nauczycielem czy rodzicami. To truizm, że poziom współczesnego dziennikarstwa informacyjnego nie jest zbyt wysoki, ale często mamy po prostu do czynienia z cynicznym wykorzystywaniem ludzkiej tragedii i przedstawianiem zdarzeń w taki sposób, by wywołać w widzu nieprzyjemne emocje. Jedna z Czytelniczek napisała, że otrzeźwienie przyszło, kiedy zobaczyła, w jaki sposób jej dziecko reaguje na wieczorne wiadomości – bardzo je przeżywa, boi się ich i ucieka z pokoju. Poradzenie sobie z takim natłokiem informacji i emocji bywa trudne dla dorosłego, a co dopiero dla dzieci czy nastolatków.

Czy tego chcemy, czy nie, nasiąkamy wiedzą, która napływa do nas z zewnątrz. W pewnym momencie nie pamiętamy już, skąd w naszej głowie wziął się taki czy inny argument lub skrót myślowy. To nieuniknione. Dlatego tak niezmiernie ważna jest świadomość tego, czym karmimy myśli nasze i naszych najbliższych.

NAŁÓG INFORMACJI

Oderwać się od strumienia informacji jest tak samo trudno, jak zerwać z nałogiem. Informacja jest jak cukier – uzależnia nasze mózgi, daje nam poczucie kontroli i sprawczości, choć tak naprawdę na nic nie mamy wpływu. A to prowadzi do niepokojącego stwierdzenia – skoro nic od nas nie zależy, to po co robić cokolwiek. Większość newsów serwowanych nam w telewizji, radiu czy internecie to wiadomości niewymagające głębszej refleksji. Są jak śmieciowe jedzenie – pozbawione wartości odżywczych. Mają za zadanie zagrać na naszych emocjach, zmusić nas do kliknięcia w nagłówek i nabicia statystyk, a w zamian nie dadzą nam zupełnie nic. Zbierasz fakty, które nie umożliwią Ci głębszego zrozumienia świata. Łykasz newsy jak cukierki, łatwe do pogryzienia, kolorowe i opakowane w śliczne papierki – fotografie i filmiki. Łatwiej jest szybko przejrzeć zdjęcia, niż skupić się na reportażu, artykule lub programie wymagającym od nas uwagi, myślenia i głębszej refleksji. Większość informacji pojawia się jak bąbelki na powierzchni poważniejszych zdarzeń.

INFORMACYJNY DETOKS

Czy jest na to sposób? Oczywiście – dieta informacyjna. Od Ciebie zależy, czy będzie tylko chwilowa, czy też przerodzi się w zdrowy tryb życia. Myślę, że dzisiejsza popularność blogów może być właśnie pochodną takiego traktowania informacji przez mass media. Zmęczeni powierzchownością tekstów coraz częściej zaglądamy na blogi, ponieważ wiemy, że na nich mamy większą szansę znaleźć pogłębioną, pełną przemyśleń, ale też wiarygodną treść. Daleka jestem od skrajnych postaw, ale wierzę, że przynajmniej czasowy informacyjny detoks każdemu zrobi dobrze. Nie odcinam się od wszystkiego, ale świadomie wybieram treści, którymi karmię swój umysł i na podstawie których kształtuję swój światopogląd. My, społeczeństwo, potrzebujemy informacji, tyle że mądrej, i dobrego dziennikarstwa, nastawionego nie tylko na emocje, sensacje i szybki zarobek. Wierzę, że tak się da. Szukam takich treści, które tłumaczą mi działanie świata i które same w sobie stanowią pogłębioną refleksję. Takie artykuły mogą być dłuższe lub trochę trudniejsze w odbiorze, ale niekoniecznie. To może być przecież czysta rozrywka, dlaczego nie? Każde kliknięcie, każda minuta poświęcona na czytanie to cenna chwila mojego życia, więc chcę ją przeznaczyć na coś wartościowego. Czy coś mnie przez to omija? Trudno powiedzieć. Nawet jeśli, to przecież się o tym nie dowiem, prawda?

Zapytasz może, co dieta informacyjna ma wspólnego z minimalizmem. Wszystko. *W minimalizmie – niezależnie od tego, czy przełożymy to na rzeczy materialne, czy niematerialne – chodzi o eliminację z życia tego, co zbędne, i zrobienie miejsca dla tego, co bardziej wartościowe, wybrane świadomie.*

STRACH I RADOŚĆ

Znasz może angielskie skrótowce FOMO i JOMO? Doświadczyłam obu przeciwstawnych zjawisk, do których odsyłają i które zostały dobrze zbadane i opisane; są one właściwe współczesnemu społeczeństwu informacyjnemu. FOMO oznacza: *fear of missing out*, w wolnym tłumaczeniu: „strach przed tym, że coś mnie ominie". Pomyślałaś, że Ciebie to nie dotyczy, prawda? A wyobrażasz sobie przeżycie kilku dni zupełnie bez dostępu do mediów społecznościowych? Nigdy nie zdarzyło Ci się sprawdzać co chwila, czy nie dostałaś nowego maila? Potrafisz rozstać się z telefonem, czy też, słysząc jego dzwonek, odbierzesz w dosłownie każdej sytuacji, nawet w łazience?

Cóż, też tak miałam. Szczerze mówiąc, cały czas mi się to zdarza, choć na diecie informacyjnej jestem już trzeci rok. FOMO to bardzo silna przypadłość, którą pogłębiają wymogi współczesnego świata. Informacja jest najwyższym, najcenniejszym dobrem. Kto nie jest na bieżąco, wypada z obiegu – taki wzorzec jest nam wtłaczany do głów każdego dnia. Świadome wyłączenie się z tego zamkniętego, toksycznego kręgu wymaga wysiłku.

Czasami lepiej jest wiedzieć mniej.

FOMO ma również inne, ciemniejsze oblicze. Tak jak przedmioty mogą stać się swego rodzaju emocjonalnymi protezami, tak samo życie w sieci bywa złudną projekcją rzeczywistości. W imię poczucia akceptacji i przynależności oraz chęci dowartościowania się bardzo łatwo jest „podrasować" swoje życie poprzez pokazywanie jego skrawków online. Wiem o tym doskonale, ponieważ jestem blogerką, a blogerzy w pewnym sensie handlują swoją prywatnością, pozbywając się jej stopniowo na blogu lub w mediach społecznościowych. Z tego też względu dobrze się orientuję, które zdjęcia się „klikają", jak dobrze wypaść na fotografii lub jak sprawić, by życie wydawało się lepsze, niż jest w rzeczywistości. Zaczynając swoją przygodę z blogowaniem, doskonale zdawałam sobie z tego sprawę i wiedziałam, że zrobię wszystko, żeby nie dać się zwieść magii internetu. Myślę, że popularność mojego bloga to efekt tej świadomości. Nigdy nie pozwoliłam sobie na koloryzowanie rzeczywistości, a autentyczność zawsze wygrywa u mnie z kłamstwem.

Mimo że znamy ten mechanizm, często dajemy się uwieść obrazowi lepszego życia pokazywanemu w telewizji lub w internecie, i dotyczy to życia zarówno znajomych, jak i nieznajomych osób. Zazdrościmy im lub chcemy, żeby zazdrościły nam, choć do obu tych skłonności będzie nam się ciężko przyznać nawet przed samymi sobą. Taka postawa wywołuje napięcie i niepokój. Długotrwałe jej przyjmowanie powoduje silny stres i nieprzyjemne uczucie bycia *niewystarczająco dobrą*. Tymczasem to wspaniałe życie, które przedstawiają media, najczęściej nie istnieje. Poza kadrem z cudownymi kwiatami stoi sterta nieumytych naczyń, a za cytatem o pięknej miłości opublikowanym na

Facebooku kryje się poranna kłótnia z mężem. Cóż, takie jest życie, z wszystkimi jego bardziej lub mniej urokliwymi doświadczeniami. I dotyczy to każdego, bez wyjątku.

Teraz już wiem, że stanowczo wolę JOMO, czyli *joy of missing out* – „radość przegapiania". W dużej mierze polega ona na stopniowym ograniczaniu i odcinaniu się od bodźców informacyjnych. Stanowi swoiste sito, przez które przepuszcza się natłok informacji. Ważne, aby do tego trendu, jak do każdego innego, podejść z odpowiednią dozą zdrowego rozsądku. Żeby poczuć radość z przegapiania, nie musisz natychmiast wyrzucić smartfona i tabletu przez okno, tak samo jak minimalizm nie wymaga ogołocenia domu do ostatniej pary skarpetek. JOMO to nie rezygnacja z wszelkich wieści i rozpoczęcie samotniczego żywota na pustyni informacyjnej. To raczej droga do większej samoświadomości. Czasami lepiej jest wiedzieć mniej.

DIETA INFORMACYJNA W PRAKTYCE

Jak to wygląda w praktyce? Przede wszystkim nie oglądam żadnych serwisów informacyjnych, nie odwiedzam również ich stron internetowych. W trakcie ostatnich wyborów prezydenckich zrobiłam wyjątek dla debat prezydenckich i programów wyborczych poszczególnych kandydatów dostępnych online. Odcięłam się również od wszystkich informacji dotyczących gospodarki i biznesu, z wyjątkiem tych, których rozmyślnie poszukuję w danej chwili. Drastyczne? Podobne działania podjęłam odnośnie do mediów społecznościowych. Z uwagi na sferę mojej działalności – blogowanie – obecność w sieci jest dla mnie koniecznością, ale nie daje mi to przyzwolenia na bezmyślność. Kto powiedział, że muszę zalajkować wszystkie możliwe profile blogerów lub czytać wszystko, co publikują moi wirtualni znajomi?

Jeśli po raz kolejny widzisz, że ktoś wypisuje rzeczy, z którymi się nie zgadzasz, może zwyczajnie przestań go obserwować, zamiast tracić cenne minuty swojego życia na udowadnianie mu, że w istocie nie ma racji?

Po latach diety informacyjnej mogę z całą pewnością stwierdzić, że jakość mojego życia znacznie wzrosła. Jestem dużo spokojniejsza i pozbyłam się zupełnie, pojawiającej się wcześniej raz na jakiś czas, chęci porównywania się z innymi. Wcale nie czuję się niedoinformowana, wręcz przeciwnie, mam wrażenie, że te ważne treści zawsze znajdą drogę, by do mnie dotrzeć. Zrozumiałam sens powiedzenia: „Czego oczy nie widzą, tego sercu nie żal".

PASYWNA ROZRYWKA

Nie chcę demonizować oglądania programów telewizyjnych. Rozsądnie użytkowana telewizja może służyć rozrywce, edukacji lub poszerzaniu horyzontów. Oboje z MM uwielbiamy parę serii popularnonaukowych, lubię też filmy, niektóre oglądam nawet po kilka razy, a jako kibic siatkówki potrafię wstać o trzeciej rano, żeby obejrzeć mecz na żywo. Niemniej media, zwłaszcza telewizja, dostarczają w dużej mierze pasywnej rozrywki. Może zamiast obserwować gwiazdy tańczące na parkiecie, lepiej poświęcić godzinę tygodniowo na lekcje tańca, a zamiast patrzeć, jak skaczą do wody, pojechać na basen? Może zamiast oglądać liczne programy o gotowaniu, wejdź do własnej kuchni i przygotuj coś dobrego dla rodziny? Przekształć pasywność w aktywność.

WIRTUALNE PORZĄDKI

Tak samo jak w świecie materialnym trudno jest zacząć porządki w świecie wirtualnym. Wydaje się, że potrzeba wielu godzin na uporanie się z (czasami wieloletnimi) zaległościami. Podobnie jak w wypadku realnych przedmiotów, najlepiej zacząć od małych, rozłożonych w czasie kroków.

Sposobów na sprzątanie wirtualnej przestrzeni jest bez liku – napisano na ten temat wiele poradników. Tutaj wspomnę jedynie o kilku miejscach, w których warto zrobić porządki, być może część z nich umknęła Twojej uwadze:

— chmura i umieszczone w niej pliki (również zdjęcia),
— dyski zapasowe (czy faktycznie są tam pliki zapasowe?),
— dysk komputera – pliki i foldery,
— folder „Pobrane",
— folder z zainstalowanymi programami,
— kanały RSS, feedly.com i inne narzędzia do agregacji treści,
— pamięć telefonu, tabletu i czytnika,
— portale społecznościowe,
— pulpit,
— skrzynka (skrzynki) z pocztą elektroniczną,
— zakładki w przeglądarce.

———— Pulpit

Mój ulubiony punkt wyjścia to pulpit komputera. Wbrew pozorom nie jestem fanką zupełnie czystego pulpitu, co jest często spotykanym zaleceniem minimalistów. W końcu to moje narzędzie pracy i miejsce, które umożliwia mi szybki dostęp do zawartości komputera. Jeśli chcesz skorzystać z mojej metody, podziel pulpit na trzy części. Może Ci w tym pomóc odpowiednio zaprojektowana tapeta.

Z lewej strony umieszczam foldery, których używam najczęściej; dotyczą one projektów, które aktualnie prowadzę, zarówno tych zawodowych, jak i prywatnych.

Na środku znajdują się pliki podręczne, z których korzystam w danym momencie. Kiedy przestają być potrzebne, przenoszę je do stosownych folderów.

Po prawej stronie trzymam pliki, do których zaglądam rzadziej, ale które są mi potrzebne do bieżącej działalności, na przykład foldery z fakturami, rozliczeniami, umowami itp.

Gdy tylko zauważę, że jakaś część zapełniła się więcej niż w połowie, czyszczę ją, przerzucając zawartość do odpowiednich folderów w archiwum. Jeśli wykonujesz tę czynność na bieżąco, zajmuje ona maksymalnie trzy minuty – tyle samo, co zerknięcie, co słychać na Instagramie.

———— Foldery

Kolejnym etapem jest metodyczne przejrzenie zawartości wszystkich folderów, które znajdują się w naszym komputerze. To najtrudniejszy krok, zwłaszcza jeśli jeszcze tego nie robiliśmy lub było to bardzo dawno temu. Pomocne będą wszystkie sposoby i metody, które wykorzystujesz w świecie realnych przedmiotów. Przydadzą się do uporządkowania filmów, muzyki, e-booków, dokumentów, zdjęć i programów, czyli całego cyfrowego dobytku, którym zarządzasz. Bądź konsekwentna i bezlitosna. *Niech nie zmyli Cię pozorna lekkość tego inwentarza* – dysk komputera w dzisiejszych czasach trudno zapełnić, ale nie jest to niemożliwe. Jeśli uwzględnimy kopie zapasowe umieszczone w chmurze bądź na zewnętrznym dysku, to nagle otrzymamy ogromną liczbę plików.

Ten etap bywa czasochłonny i dlatego najbardziej przeraża. Zacznij powoli i od miejsca, w którym porządki są najbardziej potrzebne. Może będą to foldery z dokumentami, gdzie trudno już odróżnić ważne i konieczne do zachowania pliki od tych nieistotnych, trzymanych tylko dlatego, że kiedyś nieopatrznie kliknęłaś „Pobierz"? Usuń wszystkie zdublowane treści, wszystkie nieostre i prześwietlone fotografie. Właśnie, zdjęcia to moja największa zmora.

——————— Rozmiar cyfrowej fotografii

Niech nie zmyli Cię pozorna lekkość cyfrowego inwentarza.

Pamiętasz może czasy aparatów na klisze, gdy miało się dwadzieścia cztery klatki do wykorzystania? Wyobrażasz to sobie? Tylko dwadzieścia cztery zdjęcia przez całe wakacje. Doskonale pamiętam szukanie właściwego kadru, dobrego światła i kompozycji. Doniosły moment naciśnięcia spustu migawki był zwieńczeniem całego procesu. Potem przyszedł czas aparatów cyfrowych i coraz to pojemniejszych kart pamięci. Zachłysnęliśmy się możliwościami. Robiłam tysiące zdjęć, korzystałam do oporu z możliwości, które dawał mi aparat. Uczyłam się na błędach i odnosiłam sukcesy. Na wakacjach fotografowałam namiętnie – oglądałam świat głównie przez obiektyw.

Nie pamiętam, w którym dokładnie momencie zaczęło mnie to męczyć i frustrować. Przypominam sobie za to, jak otwierałam folder ze zrobionymi zdjęciami, patrzyłam na trzydzieści niemal identycznych kadrów i trudno było mi wybrać ten właściwy, najlepszy. Pamiętam czas poświęcany na przejrzenie dosłownie setek fotografii zrobionych w trakcie jednego wyjazdu. Pewnego razu pokazywałam znajomym zdjęcia z wyprawy na Kubę (poddałam je ostrej selekcji); podczas prezentacji kolejnego, skądinąd przepięknego widoku na zniszczoną Hawanę, dostrzegłam w ich oczach znudzenie.

Rozpoczęłam więc fotograficzny detoks. Na kolejny wyjazd świadomie nie zabrałam aparatu. Czułam się lżej, i to nie tylko z uwagi na zostawienie w domu ciężkiego obiektywu. Nagle zaczęłam patrzeć na otaczającą mnie rzeczywistość bez komponowania kadrów w głowie. Teraz, gdy zobaczę urokliwy pejzaż, po prostu cieszę się tą chwilą i nie czuję przymusu uwiecznienia go na zdjęciu.

Pusta skrzynka mailowa

Zakładam, że regularnie opróżniasz skrzynkę na listy (zresztą pewnie i tak znajdujesz tam głównie rachunki i ulotki), dlaczego w takim razie nie postępujesz podobnie ze swoją skrzynką na pocztę elektroniczną?

Uwielbiam mieć pustą skrzynkę mailową, czyli *inbox zero* w bardziej znanej, anglojęzycznej wersji. Nie jest to wcale takie proste, ponieważ – zapewne podobnie jak Ty i większość osób czytających tę książkę – nie mam jednego adresu mailowego. Mam ich tyle, ile prowadzę projektów biznesowych, czyli obecnie trzy, a dodatkowo jeden prywatny. Zapewniam Cię jednak, a jest to wynik moich wieloletnich doświadczeń, że regularne opróżnianie skrzynek nie jest wcale takie czasochłonne. Staram się czyścić je tak często, jak to tylko możliwe, ale moje osobiste minimum to puste skrzynki co piątek. Dzięki temu kończę tydzień roboczy z fantastycznym uczuciem dobrze wykonanej pracy, nawet jeśli zaplanuję sobie jakieś zadania na weekend.

W zarządzaniu skrzynkami mailowymi stosuję kilka ogólnie znanych zasad. Tajemnicą mojego sukcesu jest to, że zamiast czytać o tych regułach, rzeczywiście się do nich stosuję.

Po pierwsze, zasada dwóch minut. *Jeśli odpisanie na daną wiadomość zajmie mi mniej niż dwie minuty, robię to od razu.*

Po drugie, efektywne delegowanie. Oczywiście, aby móc korzystać z tej metody, musisz mieć kogoś, komu zlecisz odpisywanie na konkretne wiadomości. Wychodzę jednak z założenia, że warto poświęcić nawet dłuższą chwilę na przekazanie stosownych wytycznych współpracującym ze mną osobom, niż robić wszystko samodzielnie. Zaufanie innym procentuje, również w postaci mniej zapełnionej skrzynki mailowej.

Po trzecie, obowiązkowe usuwanie spamu. Bywa, że zapisujemy się na newslettery i rejestrujemy na różnych stronach, które aktualnie są nam potrzebne. Z czasem jednak potrzeby się zmieniają. Zamiast każdorazowo kasować automatycznie wysłaną, nieinteresującą Cię wiadomość, kliknij „Wypisz" lub „Unsubscribe". Usuń też konta założone na portalach, z których nie korzystasz. Zajmie Ci to wprawdzie minutę, a nie dziesięć sekund potrzebnych na wyrzucenie niechcianego maila do kosza, ale za to zaoszczędzisz te wszystkie sekundy, które w przyszłości przeznaczyłabyś na czytanie i usuwanie śmieciowych wiadomości.

Po czwarte, sprawne obsługiwanie folderów pocztowych. Używasz ich w ogóle? Czy masz jedynie skrzynkę odbiorczą i archiwum? Dobrze zorganizowane foldery to genialne narzędzie, które każdy powinien dopasować do swoich potrzeb. Obecnie kluczowe są dla mnie dwa foldery: „Do przeczytania" oraz „Do zrobienia". Do pierwszego trafiają wiadomości, z którymi zapoznanie się zajęłoby mi więcej niż dwie minuty, ale na które nie muszę odpowiadać. Do drugiego przenoszę te maile, które wymagają ode mnie konkretnych działań, ale nie zajmuję się nimi od razu, tylko planuję ich wykonanie w określonym, późniejszym terminie.

MAILOWY SAVOIR-VIVRE W WERSJI MINIMUM

*Szanuję innych, ale nie chcę zapominać
o szacunku dla samej siebie i swojego czasu.*

Wiem, że zasady mailowego savoir-vivre'u wymagają odpowiedzi maksymalnie w ciągu dwudziestu czterech godzin od otrzymania wiadomości. Cóż, reguły są po to, by je łamać. Przyznaję, że nie zawsze stosuję się do tej zasady, nawet w kontaktach z klientami. Oczywiście, czasami zdarzają się pilne wiadomości, na które reaguję bez zbędnej zwłoki, jak to my, prawnicy, zwykliśmy mówić. Kiedy jednak mam do wyboru odpisanie na wiadomość w regulaminowym terminie lub spędzenie czasu z moimi najbliższymi, wybiorę to drugie, nawet jeśli miałoby to oznaczać, że przez spacer z psem stracę klienta, niezadowolonego z faktu, że odpowiedź otrzymał po czterdziestu ośmiu godzinach od wysłania wiadomości. Naturalnie, mogę poświęcić dwie minuty i napisać, że odpowiem na wiadomość w późniejszym terminie – często tak robię. Niemniej jednak, jeśli mam

bardzo dużo pracy i wiem, że te same dwie minuty mogę przeznaczyć na inne, ważniejsze czynności, robię to bez wyrzutów
sumienia. Szanuję innych, ale nie chcę zapominać o szacunku
dla samej siebie i swojego czasu.

SPOŁECZNOŚCIOWY BAŁAGAN

Uważam, że przyciski „Nie lubię" bądź „Przestań obserwować"
są wyjątkowo niedoceniane. Wielokrotnie rozmawiałam na ten
temat ze znajomymi oraz czytałam liczne komentarze blogowych Czytelniczek; jedna wypowiedź szczególnie przykuła moją uwagę: „Zawsze wydawało mi się, że kliknięcie «Nie lubię tego» jest zwyczajnie nietaktowne". Czy rzeczywiście tak jest?
    Jako blogerka często dostaję powiadomienie, że ktoś prze-
stał obserwować moją stronę. Szczerze przyznam, że niekiedy
jest mi przykro, gdy to zobaczę. Z drugiej strony doskonale zdaję
sobie sprawę, że nasze zainteresowania zmieniają się z czasem
i z pewnymi treściami nie jest nam już po drodze. Przestają być
dla nas rozwojowe lub nie są już inspirujące i ciekawe. Może się
to tyczyć treści udostępnianych zarówno przez strony firmowe,
jak i przez naszych znajomych. W takich sytuacjach nie wahaj-
my się wybrać opcji „Przestań obserwować".
    Chowaj bądź usuwaj treści, które jedynie zabierają Ci czas
i zaśmiecają głowę. Nie czytasz przecież nieinteresujących Cię
książek czy gazet, nie czuj się więc w obowiązku obserwować nieistotne dla Ciebie informacje online, nawet gdy dotyczy to stron
Twoich znajomych.
    Przyznaję, że długo miałam z tym kłopot. Wiele znanych mi
osób prowadzi najróżniejsze fanpage'e w mediach społecznościowych, blogi lub profile firmowe. Jestem zapraszana do ich

polubienia, a w domyśle do lubienia również pojawiających się tam treści. A co, gdy zupełnie mnie one nie interesują? Musiałam nauczyć się oddzielać sympatię do osoby od tego, czym się zajmuje w wirtualnym świecie. Mogę przepadać za jakąś koleżanką, ale nie muszę zachwycać się setnym zdjęciem jej dziecka albo filmami o kotach. Mogę wysoko cenić jakiegoś kolegę, ale nie chcieć lubić jego strony firmowej o wulkanizacji opon. To zupełnie normalne.

Chowaj bądź usuwaj treści, które jedynie zabierają Ci czas i zaśmiecają głowę. Wybierz, co dla Ciebie dobre, a co zbędne również w świecie wirtualnym.

Raz na jakiś czas naprawdę warto (może właśnie teraz?) zrobić porządki w mediach społecznościowych. Śmiało, przestań lubić lub obserwować wszystkie te strony, które nie są już dla Ciebie interesujące, lub znajomych, z którymi nie jest Ci już po drodze. Usuń wszystkie niepotrzebne i nieużywane aplikacje. Wypisz się z grup. Wybierz, co dla Ciebie dobre, a co zbędne również w świecie wirtualnym.

Przyjrzyj się proszę krytycznym okiem wszystkiemu, co udostępniasz. Te informacje budują Twój wizerunek tak samo, a może jeszcze silniej, jak rzeczy, którymi się otaczasz. Wejdź w swoje profile na portalach społecznościowych i zastanów się, czy to, co pokazujesz innym, jest tym, co chciałabyś, żeby o Tobie wiedzieli. To właśnie te treści mają po Tobie pozostać? Czy naprawdę pokazujesz swój świat takim, jaki jest w rzeczywistości? I nie chodzi mi jedynie o kompromitujące zdjęcia z ostatniej imprezy czy też fotografie, przez które Twoje dorastające dziecko naje się wstydu w szkole. Zastanów się, czy publikujesz te wszystkie treści dla siebie czy dla innych. Co one wnoszą do życia Twojego, Twoich znajomych i wszystkich innych osób (jeśli nie zabezpieczyłaś prywatności swoich kont)?

Niedawno koleżanka opowiedziała mi historię. Jej wirtualna znajoma umieściła na Facebooku podziękowania dla swojego męża z okazji ich rocznicy ślubu. Wątpliwości co do intencji nie było, ponieważ tekst zaczynał się od słów: „Dziękuję Ci, Mężu...". Kłopot w tym, że małżonek wspomnianej kobiety nie ma profilu na tym portalu. Zagadką pozostaje, w jakim celu napisała te słowa i do kogo w istocie były skierowane. Nie wahaj się więc usunąć tych wszystkich udostępnionych kiedyś wypowiedzi lub zdjęć, których po głębszym zastanowieniu nie chcesz upubliczniać. Nigdy nie jest za późno na taką refleksję.

Zrobienie porządków w świecie wirtualnym, podobnie jak w tym materialnym, to jedynie świetny początek drogi. Namawiam Cię, żebyś nie przestawała dbać o tę sferę swojego życia. *Każde kliknięcie to coś, czemu zgodziłaś się poświęcić swoją uwagę i czas. Rozporządzaj nimi świadomie.* Nie wpuszczaj do swojego świata toksycznych ludzi i toksycznych informacji. Odrzucaj zaproszenia do grona znajomych od osób, z którymi nie chciałabyś mieć nic wspólnego w realnym świecie. Blokuj lub usuwaj ze znajomych osoby, które Cię krzywdzą i obrażają. Nie lajkuj stron wyłącznie z poczucia obowiązku.

Mam wielką nadzieję, że te wszystkie opowiedziane przeze mnie historie, zadane Ci pytania i prawdziwy sens słowa „mniej" zadźwięczą w Twojej głowie, gdy następnym razem włączysz komputer lub weźmiesz do ręki telefon czy tablet.

NARZĘDZIA

Plan uporania się z nadmiarem

Obiecałam wcześniej podać plan, który pomoże Ci poradzić sobie z nadmiarem. Oto on. Kolejność wykonywania zadań jest nieistotna. Możesz zacząć w najłatwiejszym dla Ciebie miejscu, choć radzę wybrać to najtrudniejsze. Ponieważ na samym początku masz z reguły najwięcej energii, to sukces w czymś, co budziło Twój największy lęk, da Ci również najwięcej siły i motywacji do dalszego działania. Opisałam każdą z kategorii przedmiotów, z którymi najczęściej mamy do czynienia. Z pewnością nie znajdziesz tam wszystkich rzeczy, z którymi będziesz się musiała uporać, ale sposoby i metody, które podpowiadam, są na tyle uniwersalne, że powinny skutecznie pomóc także w nieuwzględnionych przeze mnie wypadkach.

Na początek proponuję wykonanie pięciu prostych kroków, które umożliwią Ci rozpoczęcie porządków w dowolnej chwili. Pamiętaj, to nie musi być Nowy Rok ani nawet najbliższy poniedziałek.

Krok pierwszy. Zastanów się, czy jest takie miejsce w Twoim domu lub w Twoim otoczeniu, które bardzo, ale to bardzo Cię irytuje. Tak, że jak tylko o nim myślisz, to już czujesz zdenerwowanie, a gdy obok niego przechodzisz lub patrzysz na nie, to jest Ci wręcz niedobrze. Jest? Świetnie. Mamy nad czym pracować.

Krok drugi. Czy jesteś w stanie uprzątnąć to miejsce w około dwie godziny? Jeśli tak, przejdź do kroku trzeciego, jeśli nie –

spróbuj ograniczyć obszar, którym chcesz się zająć. Przykładowo jeśli zadaniem jest pokój dziecka, to wybierz najbardziej zabałaganioną szufladę lub półkę z zabawkami. Jeśli celem jest Twoja szafa, to skup się na początek na dwóch półkach. Oczywiście, te dwie godziny to kwestia pewnej umowy. Chodzi o to, żeby można było we w miarę rozsądnym czasie osiągnąć zamierzony efekt. Bo tylko ten efekt poniesie Cię dalej.

Krok trzeci. Zapewnij sobie mniej więcej dwie godziny na posprzątanie wybranego miejsca. Wiem, łatwo się mówi, a obiad sam się nie zrobi. Spróbuj jednak. Jeśli nie będziesz w stanie wygospodarować dwóch godzin naraz, to mimo wszystko pokombinuj. Nie rozkładaj tego zadania na raty, bo się nie uda. Dwie godziny to optymalny czas.

Krok czwarty. Przez te dwie godziny sumiennie zajmij się zabałaganionym (czy raczej „zarzeczonym") miejscem, eliminując zbędne przedmioty, na przykład za pomocą metody 3P (P+P) lub innych sposobów opisanych w książce.

Krok piąty. Już się z tym uporałaś? Świetnie! Jestem z Ciebie dumna, choć to dopiero początek drogi. Teraz *najważniejsze* – rzeczy, które zostały zakwalifikowane do wyrzucenia, oddania lub sprzedania, należy się jak najszybciej pozbyć z domu.

Pora na opis poszczególnych kategorii przedmiotów.

KSIĘGOZBIÓR

Nieprzypadkowo zaczynam od książek. Jak wiesz, uporządkowanie ich stanowiło dla mnie najtrudniejszy krok, ale jednocześnie przyniosło mi ogrom satysfakcji i pomogło złapać wiatr w żagle. Do księgozbioru zaliczam również swoje zeszyty, notatki, zapiski z czasu studiów i aplikacji – do nich również się tutaj odnoszę.

Sposób działania:

Krok pierwszy. Proponuję zacząć od książek, które straciły „datę ważności". W moim wypadku były to niektóre teksty prawnicze – stare ustawy i zdezaktualizowane komentarze – oraz pozycje tak zniszczone, że zupełnie nie dawało się ich odczytać. Odłóż je na bok. Podobnie potraktuj nieaktualne już notatki i zapiski.

Krok drugi. Przejdź do pozycji, które nie mają już dla Ciebie dużej wartości – gdybyś miała wystawić im recenzję, dałabyś im zaledwie jedną–trzy gwiazdki na dziesięć. Mam tu na myśli romansidła i nieprzydatne poradniki, ale też książki, których czytanie po raz kolejny jest pozbawione sensu, przykładowo gdy znasz już puentę.

Krok trzeci. Kolejna kategoria to książki, których już nie potrzebujesz. Są to bajki dla dzieci, jeśli Twoje pociechy z nich wyrosły (ewentualnie możesz zatrzymać najwartościowsze pozycje dla wnuków), stare serie encyklopedii czy książki zawodowe, z których nie korzystasz. Nawet jeśli w przyszłości będziesz szukać konkretnej informacji, to i tak zapewne sięgniesz do zasobów internetowych lub wybierzesz się do biblioteki.

Krok czwarty. Gdy wykonasz już wszystkie wymienione wyżej kroki, zostaną Ci na półce tylko te najważniejsze pozycje, z którymi nie chcesz się żegnać.

Krok piąty. Jeśli trudno Ci osiągnąć zadowalające wyniki w zaproponowany sposób, spróbuj odwrotnej metody. Najpierw wyodrębnij wszystkie pozycje, których używasz na co dzień (na przykład potrzebne do wykonywania pracy), bajki, które czytasz dzieciom, oraz te książki, które są najcenniejsze i Tobie najbliższe, a następnie pozbądź się reszty.

Co dalej:

Nie miej wyrzutów sumienia w stosunku do książek opisanych w kroku pierwszym – ich miejsce jest w śmietniku, oczywiście w pojemniku na papier. Jeśli tych niepotrzebnych książek masz naprawdę bardzo, bardzo dużo, rozważ zawiezienie ich do skupu makulatury. Nie uzyskasz za nie wysokiej kwoty, ale może wystarczy na niedzielne lody z dziećmi. Istnieją również firmy, który same przyjeżdżają po makulaturę, a część swoich dochodów przeznaczają na cele charytatywne (w moim biurze wspieramy w ten sposób schronisko dla zwierząt). Rozejrzyj się – być może taka możliwość istnieje również w Twojej okolicy.

Książki z kroków drugiego i trzeciego możesz oddać lub sprzedać. Sposobów na ich pozbycie się jest mnóstwo, podpowiem Ci te, z których sama korzystam. Najpierw ustalam, które pozycje oddam, a które są na tyle wartościowe, że będę mogła je sprzedać. Ponieważ moja ocena wartości może być subiektywna, korzystam z informacji zawartych na portalach aukcyjnych. Sprawdzam, które książki (te używane) są w sprzedaży i na jakie kwoty je wyceniono. Jeśli jakiejś pozycji w ogóle nie ma lub jest dostępna, ale dużo kosztuje, to szanse odsprzedania rosną. Jeśli jest dużo egzemplarzy danego tytułu, decyduję się oddać książkę za darmo lub obniżam jej cenę o 10–15% w stosunku do najniższej rynkowej. Najpierw próbuję sprzedać wybrane pozycje znajomym (ogłaszam się przez media społecznościowe), a jeśli to nie zadziała, wystawiam je na Allegro. Nie chciałam promować w tym poradniku konkretnych portali, ale akurat książki sprzedają się najefektywniej właśnie na Allegro, a prowizja nie jest dokuczliwie wysoka.

Sporą część swoich książek oddałam. Wydaje się, że najłatwiejszym sposobem jest podarowanie ich bibliotekom, ale w moim wypadku się to nie sprawdziło. Okazało się, że moje egzemplarze nie były na tyle cenne, by chciano je przyjąć. Czasami jednak w bibliotekach są tak zwane wolne półki, na których można zostawić książki bez wpisywania ich do zasobów bibliotecznych.

Ciekawą ideą jest również bookcrossing, niekoniecznie w tym oficjalnym obiegu. Zdarzało mi się przykładowo położyć w biurowej kuchni książkę z napisem: „Weź mnie", a chętny na nią zawsze się znalazł.

Najczęstsze problemy:

Po lekturze wymienionych wyżej kroków może Ci się wydawać, że rozprawienie się z księgozbiorem jest łatwym zadaniem na niedzielne popołudnie. Jeśli jednak jest on pokaźny, to uporządkowanie go i pozbycie się niechcianych egzemplarzy zajmie dużo czasu. To naturalne. Nie musisz zrobić tego w jeden dzień. Uprzątaj po kolei półkę po półce, szafkę po szafce.

Problem mogą również stanowić wpisane do książek dedykacje. Takie pozycje będzie Ci trudno sprzedać, ale nie jest to niemożliwe. Podpis autora może nawet zwiększyć wartość danego egzemplarza. Naturalnie, wpis od najbliższej osoby już tej wartości nie podniesie, poza tym możesz chcieć zatrzymać taką książkę ze względu na jej pamiątkowy charakter, a nie zawartość. Tu nie ma jednego, prostego rozwiązania. W razie problemów z podjęciem decyzji zajrzyj przede wszystkim do rozdziału *Sentyment* – być może będzie Ci łatwiej, kiedy przypomnisz sobie opisane tam schematy myślenia i metody radzenia sobie z nimi. Jeśli jednak nadal nie będziesz w stanie rozstać się z danym egzemplarzem – zachowaj go. Zapewne i tak nie masz wiele takich pozycji, więc nie warto walczyć zbyt zacięcie. Gdybyś wahała się, czy pozbywać się jakiegoś podpisanego tytułu, czy nie, możesz umówić się sama ze sobą, że ten z dedykacją zostawisz, ale w zamian pozbędziesz się innego.

Może się też zdarzyć, że nie będzie żadnego chętnego na daną książkę. Nie sposób będzie ją sprzedać, nikt nie będzie jej chciał nawet za darmo. Cóż, będzie to wyraźny sygnał, że skoro nikt nie chce przeczytać tej pozycji, to zwyczajnie do niczego się ona nie nadaje i jest warta tyle, ile papier wykorzystany do jej wydrukowania. Potraktuj ją więc w sposób, na jaki zasługuje, i oddaj na makulaturę.

TEKSTYLIA

Nie mam tu na myśli ubrań, a raczej pościel, poduszki, poszewki, ręczniki, koce, serwetki, obrusy i ścierki. Ile tego typu tekstyliów masz pochowanych po szafkach, a ilu faktycznie używasz? Jeśli nie wierzysz, że możesz mieć ich tak dużo – licz. Przypomnij sobie ćwiczenie z majtkami z rozdziału *Liczenie*.

Sposób działania:

Zastanów się, ilu tych rzeczy rzeczywiście potrzebujesz na co dzień. Czy dwa komplety pościeli przypadające na każde z łóżek nie wystarczą? A dwa ręczniki kąpielowe i dwa do rąk dla każdego członka rodziny plus dwa w zapasie, jeśli masz dzieci? Jeden komplet jest w użyciu, drugi w praniu. Stosuję ten system od lat, więc mogę zapewnić, że działa. Podobnie zrób z poduszkami – zostaw tyle, z ilu korzystasz na co dzień.

Uważasz, że po tych porządkach zostanie za mało rzeczy? Rozumiem. Jeśli boisz się radykalnych rozwiązań, spróbuj nieznacznie ograniczyć swój stan posiadania: z trzech półek pełnych tekstyliów zrób dwie. Czy używasz tych wszystkich obrusów i serwetek pochowanych w komodzie? Dwa komplety na co dzień i jeden na uroczyste okazje zupełnie wystarczą. Poza tym, czy te zebrane rzeczy jeszcze Ci się w ogóle podobają?

Co dalej:

Przede wszystkim pozbądź się wszystkich tekstyliów, które są zbyt zniszczone, żeby ktokolwiek miał z nich pożytek. Istnieje dosłownie kilka wyjątków od tej zasady. Przykładowo możesz chcieć zostawić takie rzeczy z myślą o ich przerobieniu. W porządku, bądź tylko ze sobą szczera: czy masz konkretny, ciekawy pomysł na ich metamorfozę? To prawda, ze starej pościeli można uszyć świetne poszewki, ale... masz maszynę do szycia? Umiesz szyć? A te nowe rzeczy, które miałyby powstać, są Ci w ogóle potrzebne? Jeśli zamiar przerobienia wybranych tekstyliów poskutkuje odłożeniem ich na półkę, daruj sobie. Stare tekstylia możesz też, podobnie jak ja, przeznaczyć na potrzeby domowych zwierzaków. Zniszczonych ręczników używam do wycierania psa po błotnistym spacerze. Jeśli nie znajdujesz dla tych rzeczy rozsądnego zastosowania – oddaj je lub wyrzuć. Akurat niepotrzebne już ręczniki czy koce chętnie przyjmie każde schronisko dla zwierząt, z reguły jest to u nich towar deficytowy.

Weź do ręki starą poszewkę i zastanów się, czy chciałabyś oblec w nią poduszkę i położyć na łóżku lub kanapie. Prawdopodobnie nie, bo przykładowo nie pasowałaby już do wystroju – kiedyś urządziłaś pokój w beżach, teraz dominują w nim szarości. Oczywiście, może kiedyś Ci się odmieni i wrócisz do beżów, ale mogę Cię zapewnić, że i tak tej poszewki nie będziesz już chciała używać. Tekstylia, z których nie będziesz korzystać, a które są w dobrym stanie, oddaj schroniskom dla bezdomnych lub domom samotnej matki – tam, zamiast zalegać w szufladzie, zostaną wykorzystane. Możesz również spróbować je sprzedać, ale uprzedzam, że może to być trudne. Czy sama kupiłabyś używaną pościel lub ręczniki? Zapewne nie.

Najczęstsze problemy:

Jeśli w trakcie robienia porządków zauważyłaś, że masz takie tekstylia, które dość szybko się niszczą, nie wyrzucaj zapasu – to marnotrawstwo. Przykładowo u mnie taką rzeczą jest pościel. Często ją piorę i relatywnie szybko się zużywa, ponieważ pozwalamy psu spać w nogach łóżka. W takiej sytuacji wyrzucenie nadwyżkowych kompletów pościeli byłoby głupotą. W wypadku tego typu rzeczy zostaw dodatkowe sztuki na wymianę i wykorzystaj je, gdy zajdzie taka potrzeba. Tylko nie kupuj na zapas kolejnych. Poczekaj, aż posiadana rezerwa się wyczerpie.

KOSMETYKI

Temat kosmetyków pojawił się już w tym poradniku. Wiem, że dla nas, kobiet, to trudna, czasami nawet drażliwa kwestia, ponieważ, podobnie jak ubrania, jest bezpośrednio powiązana z wyglądem, podkreślaniem urody, poczuciem własnej wartości i wyjątkowości. Niemniej jednak często się zdarza, że trzymamy w domowej łazience naprawdę pokaźny arsenał. Z kosmetykami jest jak w znanym żarcie – nie wystarczy je mieć, trzeba ich jeszcze używać.

Sposób działania:

Idź do łazienki i najpierw odłóż w jedno miejsce wszystkie kosmetyki, których używałaś w ciągu ostatnich dwóch tygodni. Tylko bez oszukiwania! To Twój bieżący urodowy arsenał. Następnie weź do ręki te, z których nie korzystałaś w podanym przedziale czasowym, i sprawdź ich datę ważności. Stosowanie przeterminowanych kosmetyków może być czasami tak samo groźne dla zdrowia, jak jedzenie nieświeżej żywności. Potem wybierz kosmetyki, które Ci nie odpowiadają, ale nie są jeszcze przeterminowane – mogą to być nietrafione kolorystycznie podkłady, szminki, cienie i kredki lub brzydko pachnące balsamy do ciała i żele pod prysznic. Na końcu odłóż te, których używasz sezonowo – na przykład środki przeciwsłoneczne lub repelenty zabierane na wakacje.

Kosmetyki, które chcesz sobie zostawić, pogrupuj według rodzaju (żele pod prysznic, balsamy, lakiery do paznokci, kosmetyki do makijażu itp.) i sprawdź ponownie ich daty ważności. Produkty o krótkim okresie przydatności również oddziel od reszty.

Co dalej:

Jeśli znalazłaś przeterminowane kosmetyki – pozbądź się ich bez zbędnych sentymentów. Opróżnij plastikowe opakowania, dokładnie wypłucz zawartość i wyrzuć plastik oraz szkło do odpowiednich pojemników.

Jeśli masz kosmetyki, które Ci nie odpowiadają – sprzedaj je lub oddaj. Nie pozwól, by marnowały się nieużywane, wystarczy, że zmarnowałaś pieniądze na ich zakup. Niech przydadzą się komuś innemu, zanim przeterminują się na Twojej półce. Nie mam dużego doświadczenia w sprzedawaniu kosmetyków, wszystkie zbędne po prostu oddałam. Podobnie postąp z produktami, które Ci się podobają, ale z uwagi na krótki okres ważności nie zdołasz ich sama zużyć.

Co do reszty kosmetyków, a mam szczerą nadzieję, że nie jest ich tak dużo, oceń, ile z nich, pozostawionych jako zapas, zdołasz realnie wykorzystać, zanim stracą termin przydatności. Dlatego też proponowałam Ci ustawienie ich kategoriami. Łatwo się wtedy zorientujesz, że przykładowo masz jeden nadwyżkowy balsam do ciała czy aż cztery żele pod prysznic, których nie zdołasz zużyć, choćbyś kąpała się trzy razy dziennie. Zostaw niezbędny zapas, resztę sprzedaj lub oddaj.

Najczęstsze problemy:

Wiesz, jaki jest największy kłopot z kupowaniem kosmetyków na zapas lub pod wpływem impulsu? Nie czekasz, aż skończy

Ci się aktualnie używany produkt, tylko otwierasz nowo kupiony. W efekcie na łazienkowej półce przy wannie lub pod prysznicem stoi cała armia – zużytych do połowy – szamponów do włosów. Niektóre są zużyte prawie do końca, ale ich nie wyrzuciłaś, ponieważ na dnie ostała się jakaś resztka. Jednak zamiast wykorzystać tę końcówkę, otwierasz nowy szampon, bo jest taki świetny i teraz to już naprawdę będziesz miała fryzurę jak z reklamy. *Przyjmij nową taktykę: zużyj – wyrzuć opakowanie – dopiero otwórz nowe.*

KUCHENNE GADŻETY

Podobno ludzie dzielą się na tych, którzy mają skłonność do kolekcjonowania kuchennych „przydasiów", i całą resztę. Żartuję oczywiście, ale faktycznie są osoby, które z łatwością pozbędą się większości zbędnych przedmiotów z całego mieszkania poza tymi z kuchni. Zdaję sobie sprawę, że wielkość zbioru akcesoriów kuchennych, które posiadamy, to niezwykle indywidualna kwestia, zależna choćby od poziomu upodobania do gotowania i liczby osób w gospodarstwie domowym. Sama nie lubię i nie umiem gotować, co jednak nie sprawia, że nie mam ochoty na zakup kuchennych gadżetów! Na fali popularności programów telewizyjnych o gotowaniu Polacy rzucili się do kuchni, zrobiwszy uprzednio ogromne zakupy: miksery, szybkowary, noże ceramiczne, formy i foremki do ciast czy termometry do mięs – nabyli wszystko, co wydawało się niezbędne, żeby zostać szefem kuchni we własnym domu. Potem boom na zdrowe odżywianie wywołał kolejną falę konsumpcji, tym razem nakierowaną na wyciskarki do owoców, maszyny do pieczenia chleba i urządzenia do gotowania na parze.

Sposób działania:

Przede wszystkim zastanów się szczerze, które z posiadanych sprzętów kuchennych kupiłaś, bo rzeczywiście ich potrzebowałaś, a które wypatrzyłaś u znajomych czy w telewizji. Których z tych urządzeń i gadżetów używasz na co dzień, a które mają tylko pasować do stylu życia, do jakiego pretendujesz? Które kupiłaś w nadziei na stanie się drugą Nigellą Lawson, Jamiem Oliverem lub Wojciechem Modestem Amaro? Czy bogato wyposażona kuchnia jest odbiciem Twoich realnych potrzeb, czy ma jedynie świadczyć o poziomie Twojego kulinarnego profesjonalizmu?

Co dalej:

Bez skrupułów wybierz wszystkie sprzęty i gadżety, których po prostu nie używasz. Odłóż stare, zniszczone patelnie i garnki oraz talerze i kubki tak poobijane, że już nie sposób ich używać. Jeśli da się je doczyścić, naprawić lub oddać, zrób to, jeśli jest to niemożliwe – wyrzuć je. Tylko bez wyrzutów sumienia!

Potem zajmij się nożami i foremkami do ciastek kupionymi pod wpływem impulsu oraz nowoczesnymi urządzeniami, których nigdy nie włączyłaś, a przebrnięcie przez ich instrukcję obsługi wydaje się koszmarem. Opróżnij przepastne szuflady i szafki. Być może znajdziesz tam jakieś skarby, to niewykluczone. Sprzedaj lub oddaj, co się da. Może w Twojej rodzinie jest adept gotowania, który z przyjemnością przygarnie formę do pieczenia tarty, z której nigdy nie skorzystałaś?

Najczęstsze problemy:

Dużym kłopotem bywają wielkogabarytowe urządzenia, które są nam potrzebne więcej niż jeden raz. Pamiętam zasłyszaną gdzieś historię o maszynce do mielenia mięsa – jest to spory sprzęt, z którego nie korzysta się aż tak często. Bohaterka tej opowieści, gdy potrzebowała zmielić mięso, pożyczała maszynkę od kogoś w rodzinie. Zdarzało jej się to sporadycznie, więc nie chciała kupować takiego urządzenia. Zgadnijcie, co po pewnym czasie znalazła pod choinką jako świąteczny prezent. Dokładnie – nowiutką maszynkę do mięsa; z dedykacją: „Żebyś nie musiała więcej pożyczać".

UBRANIA I BUTY

Na ten temat napisano wiele książek, nie łudzę się więc, że zdołam przeprowadzić rewolucję w Twojej szafie. Podczas upraszczania swojego życia dość łatwo poradziłam sobie z nadmiarem we wszystkich miejscach w moim domu – poza szafą. Ten ostatni bastion chaosu był dla mnie największym wyzwaniem. Nie pomogła mi znajomość różnych sposobów radzenia sobie z bałaganem. Miałam w głowie tyle przekonań na temat ubrań, ubierania się i własnego wizerunku, że uporanie się z całym bagażem wydawało mi się zadaniem ponad moje siły. Regularnie sprzątałam w szafie i pozbywałam się starych, za małych, zniszczonych i nielubianych rzeczy. Nie pomagało. Nie było łatwo wpaść na rozwiązanie, ale gdy już je znalazłam, okazało się dość proste.

Sposób działania:

Moją mantrą w odniesieniu do ubrań stało się świadome ograniczenie wyboru. Początkowo przybrało to formę ubraniowego projektu, którego efekty pokazywałam na blogu. Projekt zyskał z czasem nazwę „Szafa Minimalistki". Pierwotne założenie było niezwykle proste: spośród wszystkich moich ubrań wybieram siedem sztuk (łącznie z butami, ale bez dodatków i okryć wierzchnich typu kurtka czy płaszcz) i te siedem rzeczy, wyłącznie siedem, noszę przez siedem kolejnych dni. Już po kilku miesiącach efekty stosowania tej metody przekroczyły wszelkie moje oczekiwania. Okazało się, że takie proste ograniczenie wyboru ogromnie zwiększyło moją kreatywność w łączeniu ze sobą ubrań; sprawiło też, że zrozumiałam, które ubrania do mnie nie pasują i których nie chcę już nosić (jeśli przy wyborze kolejnej siódemki świadomie omijałam jakąś rzecz, była to tego wyraźna oznaka); pozwoliło mi również na odkrywanie tych ulubionych zestawień, które ostrożnie mogłabym już nazwać zalążkiem własnego stylu.

Co dalej:

Przede wszystkim zacznij działać. Wiem, że szafa jest trudna do ogarnięcia za jednym podejściem i to zadanie czasami przeraża, dlatego tak ważny jest ten pierwszy krok. Jeśli chcesz skorzystać z metody, którą jest Szafa Minimalistki, to najważniejszą kwestią jest początkowe ograniczenie zawartości szafy wyłącznie do tych ubrań, które w ogóle nadają się do założenia, tu i teraz. Odkładasz więc wszystko to, co za małe, za duże, zniszczone, do naprawienia, po ciąży lub pozostało ze względów sentymentalnych.

Wszystkie te rzeczy, podobnie jak inne, możesz oddać, sprzedać lub wyrzucić. W przeciwieństwie do książek ubrania najłatwiej zbyć na portalu Olx (Allegro narzuca wysokie prowizje). Najszybciej sprzedają się markowe ubrania oraz buty. Jeśli zależy Ci na szybkiej transakcji, nie przesadź z wysokością ceny i pamiętaj o dobrej jakości zdjęciach (jasnych i ostrych) – to znacząco zwiększa szanse powodzenia. Spróbuj też sprzedawać pakietami – można na przykład stworzyć komplet odzieży ciążowej. Poszukaj grup sprzedażowych w mediach społecznościowych lub znajdujących się w Twoim mieście skupów odzieży. W swoim czasie działał w Warszawie taki punkt i często do niego zaglądałam. Prowadziła go właścicielka sklepu z używaną odzieżą. Można było zawieźć tam swoje ubrania, ona je przeglądała i jeśli chciała je odkupić, proponowała cenę. Były to raczej drobne kwoty (od 5 do 40 złotych), lecz nasze rzeczy zamiast na śmietnik, trafiały do drugiego obiegu.

Oddanie ubrań jest łatwe tylko z pozoru, ponieważ znalezienie osób, które będą potrzebować tych konkretnych rzeczy może być trudne. Jeśli chcesz, możesz wspomóc w ten sposób domy dziecka lub domy samotnej matki. Zadzwoń jednak wcześniej i upewnij się, czy chcą przyjąć taką darowiznę. Może się okazać, że przykładowo nie mają magazynu na przetrzymywanie takich rzeczy bądź mają ich już za wiele (to się zdarza w dużych miastach). W ostateczności pozostają Ci kontenery osiedlowe. Wiem, że nie mają one dobrej prasy, ale to i tak lepszy sposób niż pozostawienie ubrań na śmietniku.

Czasami jednak ubranie jest tak zniszczone (na przykład poplamione), że nie sposób go oddać komukolwiek ani wykorzystać w inny sposób. Są też takie rzeczy, których po prostu nikt nie chce kupić ani wziąć. Wtedy po prostu je wyrzuć. To, że będziesz je trzymać do końca świata na swojej półce w szafie, też nie poprawi kondycji naszej planety ani nie zagłuszy wyrzutów sumienia z powodu błędnych decyzji zakupowych.

Najczęstsze problemy:

Okazuje się, że najtrudniej jest sprzedać dziecięce ubranka. Początkowo to dziwi, ponieważ z ubrań i butów dzieci wyrastają tak szybko, że często nie zdążą się one w jakikolwiek sposób zniszczyć. Niemniej jednak, jak wynika z moich licznych rozmów, rodzice bardzo często nie chcą kupować tych rzeczy z drugiej ręki. Nie zamierzam polemizować z tym podejściem, ale warto o tym pamiętać, gdy zabieramy się do próby odsprzedania ubrań naszych pociech. Dużo łatwiej będzie poszukać nabywcy wśród rodziny, przyjaciół lub znajomych, niezależnie od tego, czy chcemy te rzeczy sprzedać, czy oddać. Podobnie jak ze wspomnianymi ubraniami ciążowymi w wypadku odzieży dziecięcej również sprawdza się sprzedaż lub oddawanie pakietami, na przykład wszystkich rzeczy w jednym rozmiarze.

DEKORACJE I WYPOSAŻENIE DOMU

Gdyby zorganizowano quiz na znajomość zawartości katalogu sieci IKEA, nie miałabyś ze mną szans. Był taki czas, gdy wizytę w tym sklepie traktowałam jak wyjątkową nagrodę, czułam się w nim jak dziecko w sklepie z zabawkami. Zanurzałam się w świecie pełnym świeczek i podstawek pod nie, obrazów i obrazków, ramek, misek i zasłon. Nie było szans, żebym wyszła z pustą torbą, nigdy nie potrafiłam poprzestać tylko na zaplanowanym zakupie, a liczba świeczek, które trzymałam w domu, pozwoliłaby mi oświetlić całą ulicę w razie awarii prądu. Do tej pory czasopisma wnętrzarskie darzę dużo większą sympatią niż te o modzie.

Sposób działania:

Dekoracja to przedmiot, który z założenia ma upiększyć Twoją przestrzeń, sprawiać Ci radość swoją obecnością, wyrazić Twój gust. Jeśli chodzi o mnie, najlepiej się czuję w pomieszczeniach bez nadmiaru ozdób, z wyjątkiem tych naściennych. Jeśli lubisz dekoracje, w żaden sposób nie zmuszę Cię do pozbycia się wszystkiego, prawda? Spróbuj jednak po prostu ograniczyć liczbę mebli, gadżetów, obrazów, figurek, misek i poduszek. To naprawdę dobrze zrobi Tobie i Twojemu wnętrzu. Ponownie, zamiast stosować radykalne rozwiązania, spróbuj nieznacznie zmniejszyć swój stan posiadania: z pięciu figurek zostaw dwie; z sześciu świec zapachowych pozostaw na wierzchu jedną do czasu, aż się wypali.

Skoro dekoracje mają upiększać wnętrze zgodnie z Twoim gustem, najpierw daj mu dojść do głosu. W pierwszej kolejności pozbądź się wszystkich rzeczy, które są brzydkie, zepsute (i nie da się ich naprawić) lub zwyczajnie już Ci się nie podobają. Dopiero potem zajmij się resztą.

Co dalej:

W wypadku wszelkich dekoracji najlepiej sprawdzają się zdecydowane działania. Spróbuj jednorazowo przeznaczyć dłuższą chwilę na uporanie się z tymi przedmiotami. Najbardziej efektywne będzie zgromadzenie *wszystkich* dekoracji w jednym miejscu. Da to efekt podobny do tego, który osiąga się metodą liczenia, ale spotęgowany bodźcami wizualnymi. Połóż na podłodze w pokoju wszystkie dekoracyjne dodatki i gadżety, które masz w domu. Również te, które zalegają w czeluściach szuflad, szaf i półek. Pamiętasz zasadę 3P (P+P)? To doskonały moment, żeby ją wypróbować. Zapewniam Cię, że jeśli rzetelnie posegregujesz dekoracje za pomocą tej metody, po takiej jednorazowej akcji nie pozostanie z nich nawet połowa.

Niestety, o ile tego typu przedmioty łatwo i szybko się kupuje, o tyle nie sposób się ich czasami pozbyć. Najprościej jest wystawić je na sprzedaż wśród znajomych (poprzez media społecznościowe) lub na portalach aukcyjnych (dla tej kategorii rzeczy polecam Allegro), ale szanse na udaną transakcję nie są duże. Najłatwiej znaleźć chętnych na markowe elementy wyposażenia domu bądź antyki (lub przedmioty vintage). Wyjątkiem są dekoracje wspomnianej już marki IKEA – nowe produkty sprzedawane są w tak atrakcyjnych cenach, że trudno jest zaproponować jeszcze lepszą, uwzględniającą koszty przesyłki. Jednocześnie są to rzeczy, które jest relatywnie łatwo oddać. Najlepiej skontaktować się z domami dziecka, ponieważ wychowankowie, którzy je opuszczają, często potrzebują drobnych elementów wyposażenia domu do pierwszego własnego lokum.

Najczęstsze problemy:

Raz na jakiś czas odczuwam przemożną chęć przedekorowania mieszkania. Wyczuwam już dobrze ten moment, gdy wszystko, co dotychczas podobało mi się w moim otoczeniu, nagle zaczyna mi przeszkadzać. Znasz może to uczucie? Kiedyś odruchowo reagowałam na ten stan kupowaniem nowych dekoracji. Za zmianą kolorystyki wnętrz szła konieczność nabycia nowych poduszek, zasłon, misek itp. Tłumaczyłam sobie, że czas na odświeżenie. Teraz radzę sobie z tym uczuciem zupełnie inaczej. Gdy potrzeba zmiany staje się nie do opanowania, usuwam przedmioty z zasięgu wzroku. Wyrzucam lub naprawiam te zniszczone, inne oddaję lub sprzedaję. Zamieniam je też miejscami, chowam i wyjmuję po czasie zupełnie tak samo, jak postępuje się z zabawkami, żeby małe dziecko mogło się na nowo cieszyć ich odkrywaniem. Robię wszystko, tylko nie dokupuję nowych rzeczy. To daje zaskakujący efekt – natychmiast przechodzi mi ochota na wyprawę do sklepu.

GAZETY I CZASOPISMA

Najczęściej kolekcjonowanymi przedmiotami, zaraz po książkach, są gazety i czasopisma. Też oczywiście przeszłam etap ich gromadzenia. W moim przypadku były to tytuły wnętrzarskie i podróżnicze. Kupowałam ich mnóstwo!

Sposób działania:

W odniesieniu do czasopism znam jedną, jedyną metodę. Jak się za moment okaże, nie ma ona większego sensu, ale będziesz musiała sama dojść do tego wniosku. Jestem przekonana, że nie wierzysz mi na razie na słowo, tak jak ja nie uwierzyłabym komuś, gdyby mi wcześniej o tym powiedział.

Co dalej:

Nie jesteś pewna, czy pozbywać się zgromadzonych gazet i czasopism? Policz je, a najlepiej zważ. Wyobrażasz sobie przewóz tych zbiorów w razie przeprowadzki? Nawet przeniesienie ich z miejsca na miejsce w domu wymaga sporo wysiłku, prawda?

Wyślij dzieci i męża na spacer, zrób sobie kawę, połóż przed sobą stos czasopism i przejrzyj każde z nich po kolei. Hmm, przyjemnie, prawda? Z każdego z nich wyrwij lub wytnij tylko te artykuły i zdjęcia, które przykuły Twoją uwagę lub do których będziesz chciała wrócić w przyszłości. Luźne kartki zostają, gazety wędrują do oddania bądź na makulaturę. Proste i efektywne, tyle że w większości wypadków zupełnie niepotrzebne. Przekonałam się na własnej skórze, że do tych wycinków nigdy już się nie wraca. A takie mi się kiedyś wydawały potrzebne i piękne! Wycinanie czy wyrywanie poszczególnych tekstów lub zdjęć z myślą, że wróci się do nich w przyszłości, to oszukiwanie własnego umysłu – z jednej strony usprawiedliwiamy zakup tych czasopism, a z drugiej niwelujemy wyrzuty sumienia z powodu ich wyrzucenia. Jeśli jednak Tobie jest tak łatwiej – wycinaj i zachowuj. Być może za jakiś czas sama dojdziesz do wniosku, że nie jest Ci to dłużej potrzebne.

Najczęstsze problemy:

W przypadku gazet lub periodyków branżowych i zawodowych powyższa metoda może się nie sprawdzić, ponieważ możesz chcieć zachować te egzemplarze w całości, na przykład z uwagi na wykonywaną pracę. Jestem prawnikiem, więc wiem, że czasami takie materiały ogromnie się przydają. Rozwiązania są dwa. Po pierwsze, możesz podzielić się swoim archiwum z zaprzyjaźnionym kolegą lub koleżanką po fachu – Twoja kolekcja zostanie wtedy rozdzielona pomiędzy dwa domy, a korzystać będziecie z niej wspólnie. Po drugie, możesz oddać swoje periodyki do biblioteki branżowej i korzystać z nich, gdy zaistnieje taka potrzeba.

Wyzwanie Minimalistki

Podobno potrzeba dwudziestu jeden dni, żeby wyrobić sobie nowy nawyk. Co prawda dotyczy to jedynie tych „fizycznych" zwyczajów, jak odkładanie rzeczy na miejsce, wkładanie kluczy do torebki, niemniej dwadzieścia jeden dni to optymalny czas (nie za krótki, nie za długi), żeby wprowadzić drobne zmiany do swojego życia. Zmiany, który mogą stać się początkiem czegoś większego.

Wyzwanie Minimalistki to projekt, który przeprowadziłam na blogu trzykrotnie; łącznie wzięło w nim udział kilkaset osób – podjęły one próbę uproszczenia i oczyszczenia swojego życia. To wyzwanie jest formą zabawy, ale też doskonałym narzędziem dla kogoś, kto kiedykolwiek pragnął uporządkować swoje życie i swoje otoczenie, ale jakoś nie mógł się do tego zebrać. Zasady są niezwykle proste: wystarczy każdego dnia zrealizować jedno zadanie. Jeden drobny krok, który przybliży Cię do obranego celu.

Dla Twojej wygody podsuwam Ci długą listę proponowanych zadań, jednak nie traktuj jej, proszę, jakby była zamkniętym zbiorem. Wymyśl swoje polecenia, niech to wyzwanie będzie dobrą zabawą, która przy okazji przyniesie niezwykle dużo pożytku.

Lista proponowanych zadań:

1. Uporządkuj półkę (szafkę) z przyprawami.
2. Posprzątaj domową apteczkę, wyrzuć przeterminowane leki.
3. Zrób porządek z gazetami i czasopismami.

4. Zwróć wszystkie pożyczone i już przeczytane książki.
5. Przejrzyj szufladę (szafkę, koszyk) „na wszystko".
6. Wyrzuć wszystkie przeterminowane kosmetyki, niezależnie od tego, jak dużo ich zostało.
7. Oddaj zepsutą biżuterię do naprawy lub wyrzuć, jeśli nie nadaje się już do noszenia lub przerobienia.
8. Wprowadź detoks informacyjny – zrezygnuj na czas wyzwania z oglądania *wszystkich* programów informacyjnych (także tych w internecie).
9. Wyloguj się ze wszystkich mediów społecznościowych na wybraną liczbę dni.
10. Wypisz się z niechcianych newsletterów, programów rabatowych itp.
11. Wstań godzinę wcześniej i poświęć ten czas na poranne przyjemności.
12. Zrób porządek z plastikowymi reklamówkami i spraw sobie porządną torbę na zakupy.
13. Wykonaj własnoręcznie coś nowego.
14. Zrób coś dobrego dla innych.
15. Zrób ostrą selekcję ubrań do chodzenia po domu.
16. Posprzątaj na biurku, nie upychając nic w szufladach.
17. Zrób jedną rzecz, którą zawsze odkładasz na później.
18. Zadbaj o *inbox zero* choć raz w tygodniu (najlepiej w piątek).
19. Pozbądź się jednej rzeczy, do której masz sentymentalny stosunek.
20. Nie kupuj *nic* przez wybraną liczbę dni.
21. Znajdź dwadzieścia minut na świadomą celebrację „tu i teraz".
22. Zrób porządek w szafce z butami.
23. Oddaj lub sprzedaj rzeczy, które czekają na to od dawna.
24. Uporządkuj domowe dokumenty (listy z banku, rachunki, faktury itp.).
25. Spędź jeden weekend kompletnie offline.

26. Opuść na chwilę swoją strefę komfortu.
27. Stwórz lub zaktualizuj swoją listę marzeń.
28. Okaż komuś wdzięczność.
29. Zrób wirtualne porządki w mediach społecznościowych.
30. Przez trzydzieści minut skupiaj swoją uwagę na jednej czynności.
31. Opisz wartości, którymi kierujesz się w życiu.
32. Zrób letnie porządki w szafie z ubraniami.
33. Przejrzyj „przydasie".
34. Wyczyść swój telefon (usuń nieużywane aplikacje, kontakty itp.).
35. Zaplanuj wymarzoną podróż.
36. Oczyść dysk komputera z wszelkich śmieci.
37. Pozbądź się z domu elektrośmieci.
38. Zaplanuj kompleksowy przegląd swojego zdrowia (i wykonaj go krok po kroku).
39. Przygotuj kalendarz na najbliższy rok zawierający wszelkie ważne daty (online lub offline).
40. Zrób porządek z piżamami i zapasem ręczników.
41. Poświęć czas najbliższym, nie korzystając z telefonu i innych rozpraszaczy.
42. Zamień całą korespondencję z bankami, dostawcą gazu itd. na elektroniczną.
43. Zrób przegląd biblioteczki z książkami.
44. Posprzątaj w torebce.
45. Uporządkuj przybornik do szycia i rękodzieła.
46. Uporządkuj szufladę z bielizną.
47. Ćwicz dyscyplinę – spędź dwadzieścia jeden dni bez czegoś, co wydaje Ci się niezbędne.
48. Uporządkuj zawartość „sentymentalnego pudełka".
49. Wykorzystaj zapasy zgromadzone w kuchni.
50. Posegreguj (i zminimalizuj, na ile się da) zawartość rodzinnych albumów ze zdjęciami (tych wirtualnych również).
51. Posprzątaj pudełka z zabawkami (z dziećmi, jeśli są już duże).

Lista rzeczy, których łatwo się pozbyć

Pamiętasz zasadę „zrób to od razu"? Na jej bazie przygotowałam dla Ciebie ostatnie narzędzie – listę przedmiotów, których łatwo się pozbyć od ręki (najczęściej wyrzucić). W większości wypadków wszelakie spisy są doskonałymi narzędziami. Poza poniższą listą, możesz przykładowo sporządzić wykaz rzeczy, których już się pozbyłaś, i uzupełniać go na bieżąco. Bywa, że odhaczanie bądź wykreślanie punktów ma magiczną moc motywowania do dalszych działań.

Przeterminowane leki.
Przeterminowane kosmetyki.
Przeterminowana żywność.
Rachunki i faktury sprzed pięciu lat.
Stare nośniki pamięci (dyskietki, kasety, płyty).
Zniszczona bielizna.
Zużyty sprzęt elektroniczny.
Kable i ładowarki, które do niczego nie pasują.
Pozostałości po remoncie (resztki materiałów budowlanych
   i farb, narzędzia).
Zapasowe pudełka po butach oraz inne opakowania.
Zapasy pozostawione do późniejszego przerobienia.
Zdublowane przedmioty o tym samym przeznaczeniu.
Wszystkie popsute rzeczy, których nie można naprawić.
Zniszczone tekstylia (ręczniki, pościel, obrusy, zasłony itp.).
Zniszczone dekoracje.

Biblioteczka Minimalistki

Rynek obfituje w książki o minimalizmie, ale niewiele z nich wyszło spod pióra polskich lub europejskich autorów. Poniższa lista zawiera najważniejsze dla mnie pozycje. Większość była wzmiankowana w tym poradniku, choć rzadko która jest bezpośrednio powiązana z minimalizmem. Nie ma ich wiele, ale w końcu jest to biblioteczka *minimalistki*, prawda?

1. Kerry Gleeson, *Osobisty program efektywnej pracy, czyli zrób to od razu*, przeł. Irena Bartczak, Wydawnictwo Amber, Warszawa 2006.
2. Małgorzata Górnik-Durose, *Psychologiczne aspekty posiadania – między instrumentalnością a społeczną użytecznością dóbr materialnych*, Wydawnictwo Uniwersytetu Śląskiego, Katowice 2002.
3. Bill Hybels, *Prostota. Jak nie komplikować sobie życia*, tłum. Magdalena Filipczuk, Wydawnictwo Esprit, Kraków 2014.
4. Marie Kondo, *Magia sprzątania*, Wydawnictwo Muza SA, przeł. Magdalena Macińska, Warszawa 2015.
5. Dominique Loreau, *Sztuka prostoty*, przeł. Joanna Sobotnik, Wydawnictwo Czarna Owca, Warszawa 2011.
6. Sonja Lyubomirsky, *Wybierz szczęście. Naukowe metody budowania życia, jakiego pragniesz*, tłum. Tomasz Rzychoń, MT Biznes, Warszawa 2011.

7.   Marta Sapała, *Mniej. Intymny portret zakupowy Polaków*, Grupa Wydawnicza Relacja, Warszawa 2014.

8.   Ronald D. Siegel, *Uważność. Trening pokonywania codziennych trudności*, przeł. Joanna Gładysek, Wydawnictwo Czarna Owca, Warszawa 2011.

9.   Jacek Wiosna Stryczek, *Pieniądze. W świetle Ewangelii. Nowa opowieść o biedzie i zarabianiu*, Wydawnictwo Literackie, Kraków 2015.

10. Deyan Sudjic, *Język rzeczy. Dizajn i luksus, moda i sztuka. W jaki sposób przedmioty nas uwodzą?*, przeł. Adam Puchejda, Karakter, Kraków 2013.

Polecam także blog Leo Babauty, dostępny pod adresem: www.zenhabits.net.

Granice minimalizmu

Czy minimalizm ma swoje granice? Czy można dojść do absolutnego minimum posiadania i czy jest to stan, którego pożądam? Te pytania są mi bardzo często zadawane, ale też co rusz pojawiają się w mojej głowie.

Zmiany wywołane stopniowym ograniczaniem liczby rzeczy, które posiadam, okazały się zaskakujące i niespodziewane. Niesamowite jest, że objęły zarówno moje życie zawodowe, jak i prywatne. W żadnym wypadku nie ograniczyły się do posprzątania szaf i szuflad. Myślę, że *minimalizm znacząco zmienił moje postrzeganie świata i mego w nim miejsca. Wniósł nową jakość do mojego życia, sprawił, że stało się prostsze i nabrało znaczenia. Zyskałam spokój i klarowny ogląd tego, co dla mnie najważniejsze.* Naturalnie to wszystko jest wyłącznie efektem stosowania minimalizmu jako narzędzia służącego upraszczaniu. *Gdy to, co zbędne, znika – zarówno w wymiarze materialnym, jak i niematerialnym – zostaje autentyczność oparta na ważnych dla Ciebie wartościach.*

Gdy nie masz pomysłu na życie, masz niezagospodarowaną przestrzeń i zawsze znajdzie się ktoś, kto Ci ją chętnie zagospodaruje. Moja przestrzeń jest obecnie doskonale zagospodarowana, wolna od przepełnienia i zagracenia. Jeśli potraktujesz minimalizm tak, jak ja to robię, dojdziesz w końcu do wniosku, że odpowiedź na pytanie o jego granice jest pozbawiona sensu.

Skoro minimalizm jest jedynie narzędziem służącym do osiągnięcia celu, stan posiadania nie będzie wyznacznikiem sukcesu, czymkolwiek on dla Ciebie jest – to przedmioty przestaną być przeszkodą w osiągnięciu tego, co dla Ciebie najważniejsze. Świat dąży do harmonii, jeśli w jednym miejscu wybierzesz *mniej*, gdzie indziej zwróci Ci się to z nawiązką.

Być może jesteś w zupełnie innym momencie swojego życia niż ja. Możemy różnić się wszystkim – sytuacją rodzinną, zawodem, miejscem zamieszkania, wiekiem lub zarobkami. Możesz chcieć żyć zupełnie inaczej niż ja, inaczej niż bohaterki cytowanych przeze mnie opowieści. To nie ma znaczenia. Nie chcę i nie potrafię dać Ci jednej, przekonującej odpowiedzi na wszystkie Twoje pytania bądź uniwersalnej rady, która pomoże Ci rozwiązać problemy. Mam jedynie nadzieję, że to, co napisałam, stanie się dla Ciebie inspiracją do zmiany. Mądrej zmiany. Ponieważ w życiu można iść swoją ścieżką, wbrew oczekiwaniom innych i stereotypom. Nie trzeba wpisywać się w utarty schemat, żeby czuć się ze sobą dobrze.

Można mieć i chcieć mniej.

„Iluż to ludzi, płynąc w ten rejs, niebezpiecznie przeciąża swoją łódź niedorzecznymi przedmiotami, które wydają się im niezbędnym warunkiem przyjemności i komfortu podróży, lecz w istocie są tylko zbędnym balastem. [...]

Wyrzuć balast, człowiecze! Niech łódź twego żywota będzie lekka, załaduj na nią tylko to, czego naprawdę potrzebujesz – przytulny dom, proste przyjemności, paru przyjaciół godnych tego miana, osobę, którą kochasz i która ciebie kocha, kota, psa, zapas fajek, pod dostatkiem żywności i pod dostatkiem ubrań oraz trochę więcej niż pod dostatkiem napoju; pragnienie jest bowiem rzeczą niebezpieczną.

Od razu się przekonasz, że łodzią łatwiej się steruje, że jest mniej wywrotna, a nawet jeśli się wywróci, to nie szkodzi: rzetelnemu rzemiosłu woda niestraszna. Będziesz miał czas i pracować, i myśleć. Będziesz miał czas spijać słodycz żywota – będziesz miał czas słuchać eolskiej muzyki, którą boży wiatr wygrywa na harfach ludzkich serc – będziesz miał czas..."[36].

---

36 Jerome K. Jerome, *Trzech panów w łódce (nie licząc psa)*, przeł. Magdalena Gawlik-Małkowska, Wydawnictwo Vesper, Poznań 2007.

Podziękowania

Ta książka nie mogłaby powstać, gdyby nie zaangażowanie niezwykłych osób. Wszystkim im jestem winna dużo więcej niż tylko podziękowania, które właśnie, dość emocjonalnie i chaotycznie, składam. Przede wszystkim dziękuję mojemu partnerowi Patrykowi – za to, że nigdy we mnie nie zwątpiłeś i nie pozwoliłeś mi się poddać we wszystkich tych momentach zniechęcenia i zmęczenia. Dziękuję doskonałemu psychologowi i jednocześnie mojemu przyjacielowi Tomaszowi Juńczykowi. Bez Twojego profesjonalnego wsparcia ta książka nigdy nie zostałaby napisana. Poświęciłeś mi wiele swojego cennego czasu, za co jestem Ci niesamowicie wdzięczna. Dziękuję Marceli, Toli, Oli Lasek i Aldonie – wspaniałym kobietom, które zgodziły się podzielić ze mną i z Tobą swoimi cennymi doświadczeniami z ich drogi do minimalizmu. Dziękuję ogromnie Marcie i Dorocie – pierwszym i najważniejszym recenzentkom. Wasze wsparcie, spostrzeżenia i uwagi oraz długie rozmowy ze mną niejednokrotnie sprowadzały mnie na właściwą drogę.

Na koniec najważniejsze podziękowania. Dziękuję wszystkim Czytelniczkom i Czytelnikom mojego bloga. Bez Was, Waszej codziennej obecności i wsparcia nigdy nie byłoby mnie w tym miejscu.

O autorce

KATARZYNA KĘDZIERSKA to autorka największego w Polsce bloga o minimalizmie SIMPLICITE. Prawnik, rzecznik patentowy, właścicielka butikowej kancelarii patentowej. Praktyk biznesu, współzałożycielka oraz dyrektor zarządzająca sieci biur coworkingowych pod marką COPOINT. Ekspert kursu master personal branding Akademia Marki z Klasą. Dumnie nosi miano filantropki, wspiera i współpracuje ze Stowarzyszeniem Wiosna, twórcą akcji Szlachetna Paczka i Akademia Przyszłości. Prywatnie pasjonatka podróży. Marzy, aby zostać współczesnym Leonardo da Vinci z uwagi na wielość talentów i podobnie jak on wierzy, że prostota jest szczytem wyrafinowania.

SIMPLICITE to sztuka prostego życia. Świadomość i jakość to najważniejsze wartości, które znajdują się na blogu. Znajdziesz tam odpowiedź, w jaki sposób mądrze skorzystać z narzędzia, jakim jest minimalizm, aby budować dojrzałe i szczęśliwe życie w każdym jego aspekcie. Znakiem rozpoznawczym bloga jest wyjątkowy projekt SZAFA MINIMALISTKI – ubraniowe wyzwanie w postaci *capsule wardrobe*, który inspiruje i pokazuje ideę minimalizmu oraz *slow fashion* w praktyce.

www.simplicite.pl
www.instagram.com/simpliciteblog
www.facebook.com/Simplicite

Projekt okładki
OpiekunBloga.pl

Fotografia autorki na czwartej stronie okładki
Natalia Sławek

Opieka redakcyjna
Joanna Bernatowicz
Agata Pieniążek
Magdalena Suchy-Polańska

Redakcja
Ewelina Pędzich

Korekta
Aurelia Hołubowska
Katarzyna Onderka

Opracowanie typograficzne
Parastudio

Łamanie
Piotr Poniedziałek

ISBN 978-83-240-3652-3

Książki z dobrej strony: www.znak.com.pl
Więcej o naszych autorach i książkach: www.wydawnictwoznak.pl
Społeczny Instytut Wydawniczy Znak
ul. Kościuszki 37, 30-105 Kraków
Dział sprzedaży: tel. 12 61 99 569, e-mail: czytelnicy@znak.com.pl

Wydanie I, Kraków 2016
Druk: Colonel